MARIO SERGIO CORTELLA

POR QUE FAZEMOS O QUE FAZEMOS?

aflições vitais sobre trabalho, carreira e realização

Copyright © Mario Sergio Cortella, 2016
Copyright © Editora Planeta do Brasil, 2016
Todos os direitos reservados.

Edição para o autor: Paulo Jebaili
Preparação: Livia Lima
Revisão: Pamela Oliveira e Valquiria Della Pozza
Diagramação: Vivian Oliveira
Capa: Mateus Valadares

CIP-BRASIL. CATALOGAÇÃO NA PUBLICAÇÃO
SINDICATO NACIONAL DOS EDITORES DE LIVROS, RJ

C856p

Cortella, Mario Sergio
 Por que fazemos o que fazemos? : aflições vitais sobre trabalho, carreira e realização / Mario Sergio Cortella. - 1 . ed. - São Paulo : Planeta, 2016.

ISBN 978-85-422-0741-5

 1. Bem-estar. 2. Qualidade de vida. 3. Sucesso. 4. Auto-realização. 5. Filosofia I. Título.

16-32375   CDD: 650.1
                                                                         CDU: 65.011.4

2020
Todos os direitos desta edição reservados à
EDITORA PLANETA DO BRASIL LTDA.
Rua Bela Cintra, 986, 4º andar – Consolação
São Paulo – SP – 01415-002
www.planetadelivros.com.br
atendimento@editoraplaneta.com.br

SUMÁRIO

VIDA COM PROPÓSITO! 5

1. A IMPORTÂNCIA DO PROPÓSITO 9
2. EU, ROBÔ? NÃO... 19
3. ODEIO SEGUNDA-FEIRA 29
4. ROTINA NÃO É MONOTONIA 37
5. AUTORIA DA OBRA 43
6. O TRABALHO QUE NOS MOLDA 49
7. A ORIGEM DA MOTIVAÇÃO 57
8. O QUE MAIS DESMOTIVA 63
9. TRABALHO COM SIGNIFICAÇÃO 71
10. ÉTICA DO ESFORÇO 81
11. VALORES E PROPÓSITOS 89

12. POR QUE FAZER? E POR QUE NÃO FAZER? 99

13. TEMPO, TEMPO, TEMPO... 109

14. FUTUROS E PRETÉRITOS 117

15. EU ERA FELIZ E NÃO SABIA 125

16. LEALDADE À EMPRESA ATÉ QUANDO? 133

17. DESENVOLVIMENTO GERA ENVOLVIMENTO 141

18. MOTIVAÇÃO EM TEMPOS DIFÍCEIS 149

19. ORGANIZAÇÕES COM PROPÓSITO 157

20. A EMPRESA ME SUSTENTA, EU A SUSTENTO 163

PACIÊNCIA NA TURBULÊNCIA,
SABEDORIA NA TRAVESSIA... 171

Vida com propósito!

DA MORTE
Um dia... pronto!.., me acabo.
Pois seja o que tem de ser.
Morrer: que me importa?... O diabo
É deixar de viver!
(Mário Quintana)

Segunda-feira, seis da manhã. "Triiiiiimmmm, triiiiiim-mmm..." O despertador do seu celular toca e você não quer sair da cama. E isso pode indicar dois estados de ânimo. Você gostaria de dormir mais um pouquinho. O que é sinal de cansaço. Provavelmente o final de semana foi movimentado, com festas, atividade física, viagem, e você precisaria de mais algumas horas até o corpo se recuperar de um esforço intenso. Se a vontade, no entanto, é de não sair da cama, isso é sinal de estresse. Você não enxerga mais razão para fazer o que faz. Há uma diferença marcante entre esses dois estados: cansaço você resolve descansando, estresse você só consegue evitar se compreender o motivo para fazer o que está fazendo.

Um questionamento a ser feito antes de levantar da cama: afinal de contas, por que fazemos o que fazemos?

CAPÍTULO 1

A importância do propósito

Uma vida pequena é aquela que nega a vibração da própria existência. O que é uma vida banal, uma vida venal? É quando se vive de maneira automática, robótica, sem uma reflexão sobre o fato de existirmos e sem consciência das razões pelas quais fazemos o que fazemos.

Algumas religiões, entre elas a judaico-cristã, nos falam sobre o Juízo Final, o momento em que uma divindade virá fazer as grandes perguntas para julgar a nossa vida, se ela foi uma vida que valeu ou não valeu a pena. As perguntas da divindade supostamente seriam:

"O que fez, fez por quê?"
"O que não fez, não fez por quê?"
"O que fez e não deveria ter feito, por que o fez?"
"O que não fez e deveria ter feito, por que não o fez?"

Essas perguntas são sobre a percepção dos sentidos, aqui usados na dupla acepção, tanto de significado quanto de direção.

Ainda que não se considere nenhuma crença de natureza religiosa, mesmo que nos atenhamos à concepção científica de que temos apenas uma existência, esta não pode ser desperdiçada. Como dizia o jornalista gaúcho Aparício Torelli, grande frasista que ficou conhecido como Barão de Itararé: "A única coisa que você leva da vida é a vida que você leva".

Qual o propósito que coloco adiante de mim? A palavra "propósito", em latim, carrega o significado de "aquilo que eu coloco adiante". O que estou buscando. Uma vida com propósito é aquela em que eu entenda as razões pelas quais faço o que faço e pelas quais claramente deixo de fazer o que não faço.

Atualmente, no âmbito do mundo do trabalho, a pergunta sobre o propósito vem ganhando crescente relevância. Boa parte das pessoas hoje deseja encontrar no emprego algo que ultrapasse o mero ganho salarial. Há uma busca por ser reconhecido, por ser valorizado pelo que se faz. Não quero que meu esforço seja desperdiçado ou inútil. Tampouco que seja mal-intencionado, se sou uma pessoa de boa intenção.

Essa questão sobre os propósitos foi vindo à tona gradativamente. Até algum tempo atrás, a vida era muito menos complexa e a intenção principal era sobreviver. Isto é, obter recursos para montar uma família e ter um patrimônio que se pudesse deixar de herança. Como a sociedade hoje é mais focada no indivíduo, a ideia de propósito está marcada por um conceito que já existiu e voltou com força: o da realização. E a palavra "realizar" em suas leituras no latim e inglês indica, respectivamente, realizar no sentido de "tornar real", mostrar a mim mesmo o que sou a partir daquilo que faço, e *to realise*, na acepção de "dar-me conta". Isso significa a minha consciência.

Tanto que muita gente hoje se recusa a atuar em algumas atividades que sejam danosas à vida coletiva. A dinâmica da relação muda: não é só um emprego onde faço o que me mandam. Preciso saber para o que serve o que estou fazendo. Não quero ser apenas um inocente útil. Desejo que a minha atividade seja consciente.

A ideia de vida com propósito retoma um princípio do pensador alemão Karl Marx, do século XIX: a recusa à alienação. Alienado é aquele que não pertence a si mesmo. Em latim eram usadas duas expressões para falar do não eu. O eu é *ego*. E o não-eu pode ser *alter*, que é "o outro", ou *alius*, que é "o estranho", de onde vêm "alienígena", "alheio", "alienação".

O conceito de alienação – elaborado originalmente na Modernidade pelo filósofo alemão Hegel – se refere a tudo aquilo que eu produzo, mas não compreendo a razão. Isto é, sou apenas uma ferramenta para que as coisas aconteçam, mas não decido sobre o destino das minhas ações. Esse é um conceito forte, uma vez que o trabalho alienado provoca uma série de desconfortos nas pessoas. Eu, trabalhador, colaborador, funcionário, quero ter clareza daquilo que faço, porque isso dá mais sentido a mim mesmo.

Reconhecimento é uma questão-chave nessa busca por sentido. Eu preciso me reconhecer nas atividades que exerço, usando um termo de Hegel, isto é, devo objetivar a minha subjetividade. Hegel dizia que fazíamos as coisas para nos objetivarmos. Eu sou uma subjetividade, mas eu não sei o que sou a não ser naquilo que faço. Porque quando faço algo, eu me "re-conheço", isto é, eu conheço a mim mesmo de novo.

Aceito o fato de que sou uma subjetividade enclausurada dentro de mim, mas, como isso é absolutamente abstrato, só sei o que sou quando me vejo fora de mim. E eu me vejo fora quando tenho minha obra feita. Então, me realizo. Sou o que eu faço. Se sou o que eu faço, e não o que eu penso de mim, aquilo que eu faço tem uma necessidade.

Desse ponto de vista, Hegel pode ser considerado um filósofo idealista, uma vez que para ele o ponto de partida do mundo é a ideia. A cultura, obra humana, vem porque eu preciso me realizar. Marx inverte isso. "Não, o que faz com que eu faça é a necessidade." Ambos se diferenciam em relação ao ponto de partida. Para Hegel, eu faço o que faço porque preciso me ver fora de mim. Para Marx, eu faço o que faço porque preciso fazer e aí eu me reconheço. Repito, o que os diferencia é o ponto de partida. Qual o impulso original? Para Hegel, é o espírito que tem necessidade de se mostrar. Para Marx, é o corpo que tem de ser sustentado e, para isso, o espírito precisa se elaborar.

No campo da filosofia, existe uma formulação clássica segundo a qual o trabalho pode ser sintetizado como uma ação transformadora consciente. Todo animal tem ação, alguns têm ação transformadora, e nós, humanos, temos ação transformadora consciente. Nós sabemos por que fazemos algo. E não só fazemos porque queremos; muitas vezes, apesar de não querermos e sabermos disso, também sabemos porque estamos fazendo. Nesse sentido, a ideia de ação transformadora consciente nos distingue de outros animais em relação ao esforço para existir.

Para traduzir essa condição, os gregos usavam a expressão *práxis*. Não importa o que eu faça, tudo o que em mim não for impulso da natureza, mas uma decisão e intervenção da minha parte, é *práxis*. Até a atividade de coleta e armazenamento de alguns de nossos ancestrais é *práxis*. Enquanto a nossa espécie saía pelo mundo coletando e comendo no local, ela ainda estava num estágio da evolução pouco marcado pela ideia de *práxis*. Mas, no momento em que passa a guardar o resultado da coleta com a intenção de utilizar no futuro, esta passa a ser uma ação transformadora consciente. Por exemplo: quando começamos a trazer água em vez de nos deslocarmos até a fonte toda vez que sentíamos sede. Isso é uma ação transformadora consciente, portanto, trabalho.

Somos seres que têm de construir a própria realidade. E a noção de trabalho é tão forte entre nós que perpassa outras esferas da nossa vida. Até a noção que temos de saúde está ligada à ideia de trabalho. Você só se considera saudável quando pode voltar a trabalhar, não quando é capaz de passear, transar, cantar, dançar.

O propósito original do trabalho é que não nos deixemos morrer. Afinal de contas, somos seres de carência, de necessidade. Ou construímos o nosso mundo ou não há como existir.

Em relação a isso, foi feito um cálculo curioso. Somos hoje mais de 7 bilhões de humanos, mas, se fôssemos um animal que não trabalhasse, que não tivesse uma ação transformadora consciente e vivesse como os outros animais, apenas da natureza, *stricto sensu*, seríamos no máximo 10 milhões da nossa espécie. A começar pelo fato de que só poderíamos viver em regiões muito delimitadas do planeta. A região dos polos e a área temperada estariam excluídas, viveríamos numa faixa subsaariana onde seríamos capazes de encontrar um clima propício para a existência de coleta, sem predadores e com uma natureza que não fosse rarefeita. Nós, no entanto, só fomos além dos 7 bilhões porque, em vez de vivermos na natureza, vivemos com ela e dela.

Por incrível que pareça, a nossa ação no mundo é antinatural, é um enfrentamento da natureza, e, apesar disso não implicar um caráter destrutivo, é uma luta contra. Basta lembrar, por exemplo, de qual seria o caminho natural de uma inflamação aguda do apêndice ou um ferimento infeccionado. A septicemia e a morte sequente. Nós enfrentamos isso, lutando contra, por meio de uma cirurgia "antinatural" ou de medicamentos sintéticos, pois não são frutos da natureza. A natureza é algo que se opõe a nós e, ao se opor, nós a transformamos.

Essa transformação, do ponto de vista teórico, é chamada de trabalho.

Temos de trabalhar! Podemos fazê-lo para mera obtenção da sobrevivência ou também como um modo de marcar nossa presença no mundo!

CAPÍTULO 2

Eu, robô? Não...

Do alto de um edifício na cidade de São Paulo, ao olhar uma via engarrafada, cena que se repete todos os dias, conseguimos imaginar o deslocamento humano que acontece em vários grandes aglomerados urbanos ao redor do mundo por causa do trabalho. Só na capital paulista, são cerca de 11 milhões de pessoas que trabalham tresloucadamente em seu cotidiano.

Poderia ser diferente? É possível que sim. Essas pessoas poderiam trabalhar menos, de maneira menos sofrida, se repartíssemos o que é produzido. A não repartição leva a duas situações: quem acumula quer continuar acumulando, e quem não tem precisa se mobilizar mais para ter alguma possibilidade de sobrevivência.

A divisão social do trabalho abordada pela sociologia, especialmente pelo francês Émile Durkheim, traz a percepção de que potencializamos nossas capacidades quando nos dividimos para fazer tarefas diferentes, de maneira a não termos de fazer a mesma coisa. Por trás disso, há sempre um questionamento, como um diálogo interno:

– Por que faço o que faço?

– Ora, porque sou obrigado.

– Mas e se eu não for obrigado a fazer exclusivamente isso? Poderia fazer outra coisa?

– Se eu tiver escolha, parto para essa outra coisa.

– Mas por que, em vez de fazer o que faço no trabalho, não vou ser um empreendedor?

– Porque eu não tenho condição de fazê-lo. Quando tiver o farei.

Onde há o travamento? Na impossibilidade de ação, e então eu cumpro a minha tarefa.

Karl Marx fazia uma distinção muito clara entre os dois reinos da vida: o da necessidade e o da liberdade. No reino da necessidade, eu não posso deixar de fazer aquilo que eu faço, senão pereço. No reino da liberdade, a vida é escolha.

Segundo Marx, existe uma diferença entre ser "livre de" e "ser livre para". Se você não for livre da fome, da falta de abrigo, da falta de socorro médico, você não é livre para outras escolhas. Uma parcela das pessoas é livre da miséria, da penúria, da carência, e é livre inclusive para dizer "não vou ter um trabalho regular", "vou viajar".

Para ser um mochileiro, é preciso ser livre de uma série de outras restrições. Não adianta imaginar que um menino pobre da periferia de uma metrópole colocará uma mochila nas costas e viajará para a Austrália. Um garoto de família mais abastada seria capaz de fazer isso. Porque ele tem contatos, já armazenou na sua mochila vivencial uma série de ferramentas que o permitem essa experiência, porque é privilegiado. Para o outro não há escolha, ou trabalha ou morre.

Em uma de suas obras, Marx sonhou que chegaríamos a uma tecnologia tal que o homem dividiria o dia de modo que fosse possível trabalhar apenas quatro horas. E as outras vinte seriam dedicadas ao lazer, à convivência com os filhos. Ele dizia, inclusive, que iríamos pescar. Esse sonho de Marx é, em grande medida, resultado da crença na racionalidade tecnológica, a partir da qual teríamos a possibilidade de partilhar as tarefas, o que economizaria tempo coletivo.

Do ponto de vista técnico, já chegamos a esse patamar, a humanidade poderia viver hoje com sobra de matéria e tempo do que já produzimos. A questão é que caminhamos para a concentração em vez da distribuição e, de modo realista, não temos uma partilha das tarefas. Enquanto algumas pessoas são sobrecarregadas, outras são liberadas.

Isso é bastante evidente, basta imaginar a quantidade de roupas que guardamos sem usar por dois, três anos. Se numa comunidade o uso tivesse de ser contínuo, a produção de muitos itens seria reduzida e muitos recursos seriam poupados.

Sobre isso, concordo com o pensador norte-americano Benjamin Franklin, que dizia que três mudanças de casa equivalem a um incêndio, porque deixamos muita coisa para trás que nem tínhamos notado acumular. O desperdício hoje é tanto que precisamos continuar nos esforçando para manter um modelo que já seria sustentado se houvesse partilha.

Ainda no século XIX, o jornalista e escritor francês Paul Lafargue (genro de Karl Marx) produziu uma obra muito interessante chamada *O direito à preguiça*. Nela, ele escreve algo que parecia um contrassenso na década de 1880, quando os operários na Alemanha, Inglaterra e França discutiam o direito ao trabalho.

Na época, ainda não havia uma legislação trabalhista regulamentando a jornada de oito horas, o que, após várias discussões, apareceria tardiamente no século XX. O primeiro documento a reivindicar uma jornada organizada é uma encíclica do papa Leão XIII, a *Rerum Novarum*, de 1891, que inclusive argumenta a necessidade de organização sindical. Produz-se naquele momento um debate anterior à encíclica sobre o direito ao trabalho. Enquanto isso, Lafargue reivindica o direito à preguiça, com base no seguinte argumento: "Já se trabalha bastante, o que nós precisamos ter é uma máquina que nos poupe trabalho para ficarmos mais com a família".

A ironia nesse texto de Lafargue é a recusa a essa laborlatria, também manifestada no século XIX. Evidentemente, Marx está pensando na organização de uma vida na qual houvesse uma repartição, para isso ele usa uma expressão proveniente do mundo anarquista, que sintetiza muito bem o que seria essa partilha com tempo poupado: "De cada um de acordo com a sua possibilidade; para cada um de acordo com a sua necessidade".

Inclusive, esse foi o lema de várias experiências anarquistas que ocorreram até mesmo no Brasil. No estado do Paraná existiu uma fazenda anarquista, chamada Colônia Cecília, e, ao contrário do que se supõe, anarquismo não é ausência de ordem, é ausência de opressão. Em fazendas como essa, a propriedade da terra era coletiva, conforme esse princípio: de cada um de acordo com a sua possibilidade; para cada um de acordo com a sua necessidade. Elas foram os modelos para o que mais tarde seriam os *kibutzim*, em Israel.

Desde a Revolução Industrial, o mundo do trabalho ficou extremamente marcado pela máquina, reforçando inclusive a noção do trabalho alienado. O automatismo, esse modo automático de ação, em grande medida, tem como consequência a alienação da execução. Uma pessoa alienada é alheia a algo. A intencionalidade dela não está naquilo que faz, ela não tem consciência direta do que produz, está fazendo algo automaticamente.

Nesse sentido, o trabalho feito de modo robótico é algo que, durante o século XX, foi decisivo para a alteração do mecanismo de produção. O taylorismo ou fordismo, em grande medida, acabou gerando a perda da inovação, da criatividade, o que, num mundo tecnológico, é uma coisa negativa.

Por isso, se o próprio indivíduo fizer as coisas de modo automático, robótico, isso levará a um processo de alienação, isto é, de perda de si mesmo. Portanto, algo muito forte da natureza do trabalho se perde, a natureza autoral, a sensação de "eu sou o realizador daquilo". Fazê-lo de modo automático é tirar de mim a dimensão realizadora. Nessa hora, eu me desumanizo, isto é, me aproximo do mundo das máquinas.

Retomando a expressão de Marx, o trabalho alienado é aquele que eu faço e que não pertence a mim e eu também não pertenço a ele. Nem o que eu faço é minha propriedade, nem eu sou propriedade de mim mesmo. O trabalho alienado é aquele que é estranho a mim.

Quando vejo um livro que publiquei, aquele trabalho não é estranho a mim. Assim como um almoço que preparo. A respeito disso, Marx vai usar a ideia de estranhamento, o trabalho no qual você se perde. Daí uma expressão muito recorrente no mundo do trabalho ser "eu não estou me achando naquilo que faço".

A grande simbologia do filme *Tempos modernos* (de Charles Chaplin, 1936) é que o Chaplin, interpretando o operário, não é esmagado pela máquina. O mais triste nessa obra não é o automatismo do movimento da linha de montagem, que ele, mesmo após a parada da esteira, continua reproduzindo. Mas sim a alegoria de que ele se integra àquela engrenagem de tal modo que sai do outro lado ileso. E isso é o contrário do que se imaginaria do mundo do trabalho, no qual a pessoa deixa de ser pessoa no cotidiano.

Algumas empresas, na área industrial, conseguiram ampliar a visão do todo fazendo com que houvesse um rodízio de profissionais entre as várias funções. Nas equipes autogerenciadas, o rodízio permitiria uma visão mais panorâmica dos processos, uma vez que o fordismo e o taylorismo acabaram introduzindo aquele parcelamento da atividade com o qual a visão geral do resultado do que se faz é perdida.

Alguns até poderiam dizer que "seria muito bom se o trabalhador fosse obediente, servil, não pensasse, apenas executasse". Esse tipo de raciocínio não cabe mais nos tempos atuais, porque uma pessoa com essa condição pode ser pouco produtiva, já que não tem iniciativa, autonomia ou criatividade, portanto, pode ser substituída por um robô. E a palavra "robô" vem do tcheco *robota*, que significa "escravo", aquele que faz o que lhe é ordenado.

Hoje este é um valor organizacional: uma pessoa consciente das razões pelas quais faz aquilo que faz é muito mais eficaz.

Nessa concepção, uma empresa inteligente tem funcionários que também pensam a razão daquilo que estão fazendo, inclusive porque isso permitirá que se produza inovação, isto é, que se pensem outros modos de se fazer aquilo que se faz e ganhar produtividade, competitividade, lucratividade e perenidade em relação ao próprio negócio.

CAPÍTULO 3

Odeio segunda-feira

Quem começa o dia de trabalho com um nível de tristeza precisa reinventar as razões pelas quais faz aquilo que faz. Isto é, qual é o seu propósito?

Se esse propósito for tão somente ganhar dinheiro, então, não sofra. É para isso. Pronto. Se for realizar-se, ter uma percepção autoral, obter reconhecimento, então, esse é o lugar ou o ofício errado.

Quando desejo reconhecimento, autoria, mesmo que tenha um nível grande de desgaste, ainda assim, me felicito por fazer o que faço. Assim como um atleta, um artista, um professor.

Um artista pode, por exemplo, passar meses em condições inóspitas gravando um filme. Mas, quando a obra é lançada, a percepção autoral dele vem à tona. Ou um artista que passa semanas ensaiando uma peça de teatro, às vezes para quatro ou cinco sessões apenas. Mas aquilo dá a ele outra visão de significado. Não acredito, de maneira alguma, que a pessoa que sofra demais com a chegada da segunda-feira esteja apenas cansada. Na verdade, ela não está se encontrando naquilo que faz, precisa rever os propósitos que tem para aquilo que está fazendo.

A empresa pode auxiliá-la nesse sentido. Seria uma sugestão interessante para a área de Recursos Humanos tematizar essa questão. Levar as pessoas a repensar suas atividades. Poucas empresas fazem isso. A razão é que se supõe que, se o empregado ficar matutando em excesso, poderá ir embora, mesmo que por impulso. Bom, mas vai aquele que, de fato, não deveria estar ali.

A inteligência estratégica exige a tomada de algumas medidas que não sejam óbvias. Uma delas é fazer com que o empregado possa pensar se ele quer continuar trabalhando naquele lugar. E não é uma questão de economia de custo. O que está em jogo é o bem-estar daquela convivência, inclusive como efeito direto sobre o índice de produtividade.

Pode ser bastante deletério conviver com pessoas que passam a semana torcendo para chegar sexta-feira.

Nós somos seres cíclicos. Primeiro, no âmbito da biologia, obedecemos ao ritmo circadiano, em relação ao consciente (despertado) e o inconsciente (estado de sono). Lidamos com dia e noite, com as estações do ano. Aliás, os ciclos são a grande marcação para a nossa vida não ser caótica, especialmente os da natureza.

Por outro lado, é claro que a perspectiva de que eu posso aspirar àquilo que virá sempre aumenta o prazer da espera, não necessariamente o da realização.

A encrenca não é dizer "hoje é sexta-feira". É aguardar com tanta intensidade que chegue esse dia, que não se consiga aproveitá-lo por absoluta ansiedade.

Mas, se olharmos pela perspectiva do tempo rarefeito, desejar que o fim de semana venha logo é até compreensível. Eu sempre brinco quando me perguntam qual o dia da semana de que mais gosto. Eu digo que é segunda-feira. E a pessoa se espanta: "Mas por quê?". Eu respondo: "Porque é o dia mais longe da outra segunda-feira".

A ideia de um trabalho que se organiza por ciclos, um período intenso de atividade, depois um intervalo, depende da cultura em que se está inserido.

As culturas agrícolas tradicionais, em sociedades mais simples, não têm a parada no fim de semana. Há sociedades no mundo em que a semana de trabalho é de seis dias, é o caso da japonesa. Nem todos os países têm trinta dias de férias. Há nações, como os Estados Unidos, em que as férias não são remuneradas. O empregado tem direito de tirar, mas não recebe. Há sociedades em que o período de férias é de cinquenta dias. Na sociedade japonesa, em que o trabalho intenso e contínuo é quase um dever moral, o funcionário não reclama, é resignado e a hierarquia é fechada.

Entre nós, não. Queremos, como na Europa, ir diminuindo o número de horas que trabalhamos para ganhar mais e trabalhar menos. O que é uma coisa inteligente, se, claro, coletivamente sustentável.

Mas o problema é que não temos uma partilha equilibrada das tarefas. Nas empresas é frequente a sobrecarga em algumas pessoas quando há um planejamento equivocado da distribuição de trabalho dentro do grupo. Uma chefia ou liderança que não saiba organizar o trabalho coletivo ficará sempre em desvantagem. Na hora do sufoco, geralmente aparece uma pessoa que diz "pode deixar que eu faço". E sempre existe alguém a dizer "tudo bem, então você faz".

Isso significa que haverá, de um lado, uma estrutura parasitária e, do outro, um abnegado que assume o conjunto centralizado das tarefas.

Volto a Marx, a nossa incapacidade de partilha das tarefas é tamanha que sobrecarregamos alguns, enquanto outros se liberam mais para se dedicar a coisas diferentes.

Quando ocorre extinção de cargos, quem fica faz o trabalho dobrado, situação que evidencia equívocos na gestão. Que pode ter sido de avaliação, pois a estrutura não estava enxuta e havia um custo inútil. E, numa suposta correção de rota, incorre-se em outro erro: sobrecarregar quem permaneceu. Pressionado pelas circunstâncias, ele pode até render por um tempo, mas depois chegará à exaustão. E aí será preciso formar outra pessoa para a reposição e perde-se todo o investimento feito na formação da primeira.

Por isso é necessário que a empresa saiba balizar o movimento que faz nessa direção. É muito mais inteligente distribuir melhor as tarefas e preparar as pessoas para essa partilha do que colocar uma para fazer o trabalho de duas.

Esse planejamento vale para os ciclos da economia. Por exemplo, empresas inteligentes sabem que vivem picos de consumo e outros de diminuição. Quando enfrentam restrição de vendas, de concretização de negócios, algumas rapidamente mandam pessoas embora.

Outras não fazem isso. Elas retêm as pessoas, sabem que a atividade pode mais adiante se intensificar e mantêm aqueles nos quais investiram em formação por anos.

Quando a empresa manda parte da mão de obra embora, pode até economizar nos custos de trabalho, mas, se houver uma retomada do fôlego, vai gastar muito mais para preparar pessoas novas para aquela atividade.

Portanto, é uma questão de inteligência operacional.

CAPÍTULO 4

Rotina não é monotonia

Muita gente se queixa da rotina do trabalho. Vale lembrar que rotina não é sinônimo de monotonia. O que faz com que haja um enfado em relação ao cotidiano profissional é a monotonia, não a rotina.

A rotina pode ser, inclusive, altamente libertadora. É ela que permite a organização de uma atividade e, portanto, a utilização inteligente do tempo. A rotina garante maior eficiência e segurança naquilo que se faz.

Por exemplo, quando entro num avião, espero que o mecânico tenha seguido a rotina, que o piloto e o copiloto façam o mesmo, bem como o encarregado de abastecer a aeronave. A rotina consiste numa série de procedimentos-padrão com os quais um processo se completa. E esse nível de repetibilidade é o que torna a rotina mais adequada. Uma orquestra sinfônica será tão melhor quanto mais acurada tiver sido a leitura da partitura da peça ali colocada.

O trabalho rotineiro é um trabalho organizado, estruturado. O que, de fato, faz com que haja um enfado, um tédio, é a monotonia. O perigo é quando a rotina deixa de ser algo que me prepara melhor para aquilo que estou fazendo e passa a ser algo no qual eu não presto mais atenção. Isto é, quando a repetibilidade se torna automatismo. Há uma diferença entre a rotina, na qual eu faço uma atividade notando a sequência correta e a completo, e a monotonia, em que a faço sem perceber. Nessa hora, a motivação falece. Seja qual for a profissão.

Um músico que tem uma rotina de viagens, de shows, ao fazer isso de modo automático, quando está no palco e a cabeça está em outra frequência, em que ele não vê a hora daquilo acabar, é então que começa o desgaste.

A monotonia é a morte da motivação!

Isso vale tanto nas relações afetivas como nas de trabalho. Não é por acaso que as pessoas que gerenciam outras no ambiente de trabalho procuram fazer com que a rotina tenha um padrão de sequência, de completude, mas tentam alterar a situação quando veem o risco de virar monotonia. Algumas empresas, como lembrei antes, têm o hábito de fazer um rodízio nas várias funções, em determinados momentos, de modo que o funcionário ganhe um distanciamento em relação àquilo que fazia e possa retornar à atividade sem ficar automatizado no processo.

O automatismo é distrativo. Isso serve até para ver televisão. Quando o escritor mineiro Fernando Sabino dizia, de maneira genial, que "a televisão é o chiclete dos olhos", era para descrever o estado em você assiste a algo e não retém nada do conteúdo exibido.

Na leitura, quando lemos de forma automática, chegamos ao pé da página do livro sem lembrar do que estava nas linhas superiores. Já a leitura rotineira é aquela em que você pega o material e vai lendo em sequência, procurando fruir. Quando você se distrai, é sinal de que ela se tornou automática.

Por isso, quando se precisa estudar e reter conteúdos, há uma recomendação de seguir a leitura com um lápis, com uma caneta marca-texto ou mesmo com o dedo. Eu faço isso, se o livro for meu. Pode parecer arcaico, mas esse é um princípio básico de conexão neurológica. Se leio seguindo com o dedo, não vou perder a atenção. Se coloco só os olhos no papel, e passei do estado da rotina para a monotonia, a leitura se torna automática.

Nesse sentido, o que as pessoas mais reclamam no dia a dia é de um trabalho automatizado mentalmente e não pela máquina. A finalidade da tecnologia e da robotização é exatamente liberar a gente desse trabalho monótono. A rotina é absolutamente necessária.

Qualquer paciente que entre num centro cirúrgico deseja que toda a equipe ali presente siga a rotina. Que faça a contagem de quantas gazes foram retiradas do pacote e quantas foram dispensadas no descarte, de modo que se tenha certeza de que não ficou nenhuma dentro dele.

Eu acho interessante que num hospital com uma estrutura mais organizada seja colocada uma pulseira com um código de barras no paciente. Mesmo que ele fique internado uma semana, e todos os dias encontre a mesma enfermeira, é ótimo que ela cheque a pulseira, olhe novamente o medicamento que foi prescrito. Essa rotina é absolutamente necessária.

Uma das coisas mais perigosas em relação à monotonia é a distração. Ela faz com que você arrisque a sua integridade ou a da estrutura do negócio, da operação, do que está sendo feito.

No mundo da aviação há um nome para isso em relação ao piloto. Enquanto está "na rotina", ele está atento. Se entrar num processo de monotonia, permite que a fadiga venha à tona. Esse é o estado que faz com que o profissional se equivoque, demore a encontrar soluções, retarde a adoção de um procedimento, porque o nível de distração foi elevado.

Seja na relação afetiva, seja na relação de trabalho, você é distraído quando é capturado pela monotonia. Por isso, a monotonia é o principal adversário da motivação.

… CAPÍTULO 5

Autoria da obra

No século XXI, o conhecimento é muito importante para a inovação, criação, para que o indivíduo não se sinta alguém que apenas ganha seu sustento, mas que colabora, realiza e tem uma vida com propósito.

Convém reafirmar a necessidade de que o trabalho se descole da alienação, daquilo que é a ausência de pertencimento. Eu não quero apenas fazer coisas, quero ter uma postura autoral em relação às coisas que faço, como algo que também é da minha lavra. De certa forma, essa autoria se aproxima do espírito artífice na história do Ocidente. Aquele que fazia as coisas com as próprias mãos e assinava a obra.

É muito comum no mundo do trabalho ouvir pessoas dizerem: "Não me reconheço naquilo que eu faço". E não é um reconhecimento de natureza pecuniária. Não é só o reconhecimento do tapinha nas costas, do abono ou da Participação nos Lucros e Resultados. É o reconhecimento autoral.

Cada vez mais desejamos o autoral. A percepção da autoria é necessária para que a pessoa se construa como indivíduo que não é descartável, que não é inútil e que não pode ser colocado à margem.

Uma vida com propósito é aquela em que sou autor da minha própria vida. Eu não sou alguém que vou vivendo.

No trabalho alienado, desumanizado, não existe a percepção autoral.

Curiosamente, num mundo altamente tecnológico, fica difícil imaginar quem é o autor, porque há uma diluição das autorias nos conteúdos e formas, naquilo que circula, mas não no que é mais simples. O padeiro (não o dono da padaria) tem a percepção autoral, o pipoqueiro com seu carrinho na esquina também, tanto que nós nos referimos à "pipoca do seu Dito". Algumas profissões querem caminhar nessa direção. O artista tem isso. O jardineiro que colhe a rosa. Porque no mundo altamente tecnológico, das plataformas digitais, o que alguns chamam de democratização, em grande medida, é uma diluição autoral.

Quem não gosta de fazer algo com as mãos?

Um sinal muito forte contrário a esse automatismo foi a febre dos livros para colorir durante o ano de 2015. Foi um fenômeno editorial.

Tudo bem que tudo já está desenhado e é preciso apenas preencher com as cores. O que é muito pouco autoral. Ainda assim, é uma manifestação de um desejo imenso de fazer alguma coisa, de não consumir tudo já pronto.

O mesmo se nota com o interesse por programas de televisão sobre gastronomia. Essa ideia autoral é decisiva. "A minha pizza." Se essa é a mousse que eu fiz, então, eu me vejo nela, porque, quando as pessoas estão degustando um doce feito por mim, estão me experimentando. *Perire*, em latim, significa "provar", de onde vem a palavra "perigo", mas também as palavras "aperitivo" e "experimentar". *Experire* é "experimentar", ou seja, "provar de fora".

A minha experiência é quando eu provo de fora e olho aquilo. O perigo é aquilo que me prova. Por isso, eu me sei naquilo que saboreio.

Não é casual que em latim as palavras "saber" e "sabor" tenham a mesma origem. *Sapore*, em latim, significa tanto "saber" quanto "sabor". Não por acaso, os lusitanos, quando apreciam um prato, dizem: "Isso me sabe bem".

Então, esse movimento de experimentar a mim mesmo significa que o propósito da minha vida é ter consciência de que não sou descartável. Se não sou descartável, eu me experimento naquilo que faço. E, dessa forma, preciso ter reconhecimento de autoria.

Muitas vezes apesar de a autoria não ser exclusividade minha, eu não deixo de ser um dos autores. Por isso, essa indiferenciação, que por ventura encontramos no mundo do trabalho, nos deixa extremamente amargurados.

Muitas empresas enfatizam o outro caminho, tentando passar ao empregado o chamado "espírito de dono", e isso pode ser muito interessante. A intenção é fazer o funcionário agir como se fosse proprietário da empresa. Ele sabe que não é, que é empregado, que tem outra relação, mas a percepção de dono faz com que ele atue como aquele que cuida da própria autoria, em vez de ser alguém que apenas executa. É muito ruim ser entendido apenas como um executor.

O propósito está em não ser alienado.

CAPÍTULO 6

O trabalho que nos molda

Nós fazemos o trabalho, mas, em certo sentido, ele também nos faz. Isso acontece na medida em que o trabalho ajuda a moldar as nossas habilidades e competências. As atividades que realizamos contribuem para formar a nossa identidade profissional.

Nas décadas de 1960 e 1970, aquilo que hoje se chama autodesenvolvimento ou educação continuada, tinha a denominação de formação em serviço. Porque havia uma suposição de que a formação para uma atividade se dava fora do serviço, fosse num curso, escola, em algum lugar. O conceito de formação em serviço passou a ser trazido para dentro da empresa como a organização de processos e projetos de natureza formativa no espaço por ela estruturado.

Mas há outro modo de formação em serviço: a carreira.

Tomando o meu caso para ilustrar, comecei a dar aulas em 1974, portanto, durante quatro décadas, desenvolvi uma atividade sem ter ainda uma identidade docente, que foi sendo construída, foi me formando, me forjando. A minha identidade sobre aquilo que sou.

Eu, que comecei como professor de filosofia e teologia, aos poucos fui também fazendo palestras. Depois, entrei na área de comunicação, atuando em mídias variadas. Passei a apresentar alguns programas de TV e rádio. Para mim, isso era outra forma de docência, que passou a ser parte de um jeito de ser de alguém que se comunica. E assim me tornei mais um comunicador do que um docente.

A comunicação, no entanto, passou a ser feita de modo pedagógico. Eu gostava de trabalhar a comunicação como instrução. Voltei a lecionar e a comunicação ficou embutida na ideia de docência. Portanto, me considero mais um educador.

O meu curso de vida, meu *curriculum vitae*, fez com que eu construísse a mim mesmo. Uma parte foi planejada, outra foi circunstancial. Claro que eu planejei minha carreira docente, na universidade, como auxiliar de ensino, mestrado, assistente-mestre, doutor, assistente-doutor, adjunto, há uma sequência segundo a qual é possível se organizar, inclusive porque é uma vida com tempos. Mas uma série de coisas foi circunstancial.

A participação na gestão pública se deu pela conexão com pessoas com quem tenho afinidade ideológica que, por uma série de circunstâncias, venceram a eleição na cidade de São Paulo. Pode-se argumentar: "Mas disputavam a eleição". No entanto, a nomeação daquele grupo não era tão previsível. Um mês antes do pleito, a candidatura estava em quarto lugar na disputa pela prefeitura. Mas, naquele mês, várias coisas aconteceram no país que fizeram com que os eleitores mudassem de perspectiva.

Aquilo não foi planejado por mim. De repente o grupo em que eu estava foi para o governo. E fui trabalhar nele com Paulo Freire, que pretendia ficar dois anos na atividade de gestão da educação, como secretário municipal de Educação de São Paulo, e depois partiria para outros trabalhos.

Quando ele saiu, as minhas atividades na Secretaria de Educação e as relações de trabalho que eu havia estabelecido me tornaram a pessoa mais adequada, não por mim mesmo, a suceder-lhe no cargo de secretário.

Não entrei na secretaria com a intenção de galgar postos. Ao contrário, nem me achava, sem ser imodesto tolamente, a pessoa mais adequada para a função. No entanto, o grupo considerou que eu tinha mais habilidade para assumir aquele posto, por conta dos dois anos anteriores de trabalho. Assim, construiu-se uma identidade para mim de articulador na gestão de pessoas, com certa capacidade diplomática.

Quando saí da secretaria, a reitoria da minha universidade de origem, a PUC de São Paulo, decidiu criar um programa de TV. Com a chegada ao Brasil da TV a cabo e a exigência por lei de um canal universitário, que deveria agregar universidades numa mesma base territorial, a PUC teria de fazer uma programação. O reitor chamou um grupo de professores e eles decidiram que eu apresentaria o primeiro programa e depois aconteceria um rodízio entre os demais integrantes. Eu apresentei o primeiro e o grupo disse: "Você tem habilidade para fazer isso, segue você". E fiz isso por onze anos. Embora não fosse a minha intenção.

Nesse contexto, entrou outra ocasionalidade, aquilo que o pensador renascentista Nicolau Maquiavel chamava com muita clareza de "fortuna", que no latim significa "a ocasião", "a circunstância", isto é, uma dose de sorte. Maquiavel dizia que o "príncipe", o homem que poderia comandar e conduzir as pessoas (o *condottiere*), era aquele que juntava a virtude à fortuna. Em outras palavras, a capacidade com a ocasião. A frase clássica: "O homem certo, no lugar certo, na hora certa".

Por isso, quarenta anos depois, o fato de hoje eu ser tido como alguém que lida com comunicação resulta de um percurso em que uma parcela foi planejada, metódica, estruturada, e outra foi aproveitamento de circunstâncias.

Por isso, o trabalho também me molda.

O magnífico artista Michelangelo expressou bem isso ao dizer: "Todo pintor pinta a si mesmo".

Ao afirmar isso, a percepção é de que você se coloca na sua obra. Eu estou invertendo um pouco, aquilo que eu faço é aquilo que me faz. Por isso se usa a palavra "realizar". É quando me torno real, quando não sou uma mera subjetividade, com desejos e intenções, mas eu construo ali a minha identidade e aquilo que passarei a ser.

É interessante porque as razões para fazer aquilo que faço hoje não são necessariamente as mesmas que eu tinha no começo dessa trajetória.

Por que eu faço o que faço hoje? Porque eu me construí como um fazedor disso, e quero me manter nessa feitura, de modo que eu possa continuar me fazendo.

Deixar de fazê-lo agora seria me desfazer.

CAPÍTULO 7

A origem da motivação

Há uma frase antiga segundo a qual "motivação é uma porta que só abre pelo lado de dentro".

A motivação tem um nível de subjetividade, e isso significa que ela parte do sujeito. Nós, às vezes, dizemos: "Eu preciso motivar a minha equipe", "devo motivar as pessoas", "tenho que motivar meus filhos"...

É necessário entender que, embora a palavra "motivação" signifique mover, movimentar, fazer com que haja o ponto de partida para algo, ela é um estado interior.

Não devemos confundir motivação com estímulo!

O que um gestor pode fazer, por exemplo, com alguém que trabalha com ele? Pode estimulá-lo, impulsioná-lo, mas não obrigá-lo a fazer algo a partir de uma atitude que deve partir da própria pessoa. O integrante da equipe é capaz até cumprir a ordem, mas não estará motivado. Ele fará como uma tarefa, um dever.

Há uma diferença entre dever e motivação. Para algumas pessoas, o dever é a motivação. Em determinadas atividades, principalmente no campo da saúde, na área militar, no corpo de bombeiros, a própria percepção de dever já é motivação suficiente. Isto é, a ideia de que, se existe uma tarefa a cumprir, ela deverá ser cumprida a qualquer custo.

O lema é "tarefa dada, tarefa cumprida", de modo que o profissional dessa área enxerga na sua obrigação aquilo que o movimenta por dentro para que dê conta da missão de que foi incumbido. Algumas pessoas diriam que cumprir o dever é uma questão de honra, portanto, não há outra estrutura motivacional além dessa.

No dia a dia de outras funções, no entanto, o que motiva alguém a ser professor, empresário, piloto, pai ou mãe? Aquilo que você deseja, que realiza, que o completa, aquilo que permite que você se reconheça. Eu me conheço naquilo que ajo.

Motivação é uma atitude interna. Quais são as minhas razões para fazer o que faço? A resposta revelará a fonte da minha motivação.

Alguém externamente a mim também pode me estimular, fazer com que eu primeiro ganhe força no que estou fazendo, posso ser inspirado, animado, mas a motivação tem uma natureza na qual o ponto de partida é o próprio indivíduo.

Posso, por exemplo, lidar com uma equipe desmotivada? Sim, mas ela não fará um trabalho de uma completude maior.

Uma pessoa motivada faz algo decisivo: ela procura excelência. A expressão latina *excellens* significa "aquilo que ultrapassa", "aquilo que vai além".

Uma pessoa excelente é aquela que faz mais do que a obrigação! Curiosamente, essa expressão às vezes parece soar de maneira incorreta, sob o ponto de vista da lei, dizer que alguém faz mais do que a obrigação daria margem a pensar que trabalha sem receber ou fora das normas. Não é isso. Quem está motivado faz mais do que a obrigação, isto é, tem a obrigação como ponto de partida e não de chegada.

Nós gostamos de um garçom quando ele faz mais do que a obrigação. Qual a obrigação de um garçom? Anotar os pedidos, trazer a comida etc. Mas por que se aprecia um bom garçom? Porque ele não faz só isso. Ele se antecipa à sua necessidade, sugere o lugar mais agradável, fica disponível sem se intrometer.

Por que se aprecia algum médico? Porque ele faz mais do que a obrigação. A tarefa do médico é consultar, fazer a prescrição. Mas, quando ele se interessa por você, quando não o olha apenas como uma doença em alguém, mas como alguém com uma doença, isto é, olha a sua inteireza como pessoa, faz mais do que a obrigação.

Quantos professores e professoras que admiramos na vida faziam mais do que a obrigação? Aquela professora de história, cujo dever era nos ensinar um pouco sobre o mundo greco-romano da Antiguidade, mas nos envolvia de tal modo com o tema que íamos sexta-feira de manhã animados para a escola, ansiosos pela aula. Ela nos encantava com o conhecimento.

Por isso, um conceito-chave nessa percepção é: quem tem um motivo que o impulsione consegue atingir a excelência.

Como gestor, eu não vou motivá-lo, mas posso estimulá-lo a encontrar aquilo que em você é a busca da excelência.

Posso fazê-lo de vários modos, seja pela formação, seja pelo reconhecimento, pelo elogio e valorização, pela correção de natureza inteligente – a capacidade de corrigir sem ofender, orientar sem humilhar – ou pela possibilidade de colocar metas e prazos que fazem com que a pessoa dê o passo na direção desejada, em vez de se acomodar na situação em que se encontra.

O lado externo, portanto, o lado objetivo da motivação será o estímulo. Às vezes, esse estímulo pode vir na forma de um prêmio, de um retorno financeiro, mas também pelo reconhecimento da autoria ou da qualidade daquele profissional e sua contribuição para o todo da obra.

Fazendo uma brincadeira com as palavras, posso falar que a motivação é o estímulo interno, enquanto o estímulo é a motivação externa, mas são duas coisas distintas.

A diferença é de onde partem, mas ambas têm a mesma intenção.

CAPÍTULO 8

O que mais desmotiva

Em minhas passagens por empresas, na condição de palestrante ou de consultor, há um aspecto que considero a maior fonte de desmotivação dos funcionários. Muitos podem pensar que se trata de algum fator ligado à remuneração. Não é. O retorno financeiro tem importância, mas é relativa.

A principal causa da desmotivação é a ausência de reconhecimento. Quando o profissional não é objeto de gratidão pelo que faz.

Embora o indivíduo saiba que é um empregado, ser só "mais um" empregado é um fardo muito maior. Ser só mais um não significa não ser nada. Quer dizer que não é o patrão, é um entre outros. E que, portanto, o não reconhecimento do valor, do resultado do trabalho, da colaboração no projeto coletivo, é absolutamente frustrante.

Essa sensação acomete grande parte das pessoas nas corporações, quando não lhes dão o valor que julgam adequado. Embora o salário tenha uma parte nisso, não é a principal. É o valor em relação à atitude, à dedicação, à obra.

As organizações mais atentas ao capital humano costumam fazer o reconhecimento público, seja em festividades, seja no registro em algum meio de comunicação da empresa, até coisas que até parecem tolas – como a foto do funcionário do mês – não o são.

É um gosto imenso receber algum tipo de distinção. Na área acadêmica é o equivalente a receber alguma titulação, algum prêmio.

A fonte central da desmotivação é o não reconhecimento. Afinal de contas, se a pessoa está naquela atividade, algum motivo forte ela teve – pode ser a necessidade, a vontade de fazer aquilo, mas ela está exercendo aquele ofício por alguma razão. Essa razão vai minguando quando o não reconhecimento é corriqueiro.

Outro motivo de desconexão é quando a pessoa não mais considera aquela atividade decente. Como algo pelo qual ela daria o sangue. Alguém que percebe, por exemplo, que a empresa é hipócrita, isto é, propaga posturas e comportamentos, fala do balanço social e da importância das pessoas, mas é pouco autêntica.

A falta de autenticidade da empresa faz com que a pessoa vá perdendo a energia, por considerar que não vale ser colocada em algo a que não adere. A não ser por necessidade, é muito difícil persistir numa empresa na qual não se acredita mais, seja pelo produto, seja pela ação dela no mercado, ou pela conduta na comunidade.

A ausência de reconhecimento se manifesta de várias formas. Se o chefe é injusto, se o salário não é adequado.

Quando eu julgo que valho muito mais do que acham que estou valendo, é sinal de exploração. Uma coisa é colocar o meu trabalho a serviço de alguém, vender meu tempo para uma empresa. Outra coisa é achar que estou sendo explorado, isto é, que estão me usando sem retorno.

Para ilustrar a importância do reconhecimento, basta reparar no quanto a atividade militar trabalha com insígnia, aquilo que marca. Um uniforme cheio de símbolos carrega as marcas do que aquele integrante fez. E isso tem um poder de incentivo imenso.

A desmotivação vem à tona quando eu perco potência para fazer algo que passo a julgar que não vale mais. Aliás, sempre achei curiosa a expressão "não vale a pena". Fico imaginando o que a pessoa pensa quando lê um livro meu ou vai a uma palestra e, ao final, para elogiar, diz: "Valeu a pena ter vindo". Tenho curiosidade em saber o que ela entende como pena. Será que havia um suplício no ponto de partida para assistir a uma conferência ou para ler um livro?

"Vale a pena trabalhar nesta empresa." Qual pena? Existe ali alguma condenação prévia? Por que a ideia central é a de pena? Essa é a percepção do trabalho ou do emprego como castigo. Vale o sacrifício. Essa percepção, sempre danosa, martirizante, é agravada quando não se obtém reconhecimento pelo que é realizado.

Por outro lado, o gestor precisa ter cautela para não fazer um elogio que soe falso, ou indistinto, conveniente para qualquer situação. Como quando alguém apresenta uma ideia e não se quer avaliar, mas se diz "que interessante", uma frase de grande vacuidade.

Da mesma forma, o elogio exagerado fragiliza mais do que motiva, pois a pessoa acha que já chegou ao ponto em que precisaria chegar. Nesse caso, não que o elogio desestimule, mas engana. Se o profissional se sente "o cara", imune a qualquer tipo de fragilidade, abre brechas para ficar debilitado.

Como sempre digo, o grande calcanhar de Aquiles foi achar que não tinha um calcanhar de Aquiles, portanto, supor-se invulnerável. Nenhum de nós é perfeito, que em latim significa "feito por completo".

A propósito, na área de educação escolar, um professor disse uma frase absolutamente tonta: "Comigo não tem esse negócio de dez. Nunca eu dei um dez na vida. Porque sempre haverá a possibilidade de melhorar". Isso é de uma tolice imensa.

Conforme a suposição dele, a ideia de melhor é uma gradação. E melhor é uma atitude de elevar algo, mesmo que ele já seja ótimo. Gradação é "ótimo", "bom", "regular" e "ruim". Dez, nove, oito, sete… zero. Eu posso tirar dez e fazer melhor. Eu posso dar dez e falar: "Fantástico, e você consegue fazer melhor".

Algumas empresas dão a entender que "não ser mandado embora daqui já é um elogio", "não ser repreendido já é uma maneira de ser elogiado", "silêncio é a melhor maneira de dizer que está tudo em ordem".

Feitorar não é uma forma de gestão. Dar nota boa para alguém não significa desestimulá-lo a crescer. É dar a avaliação máxima e dizer: "Nessa circunstância, ótimo, e você consegue fazer melhor". Estabelecer um patamar de conclusão é absolutamente limitante.

Tanto a ausência de reconhecimento quanto o reconhecimento superdimensionado são atitudes equivocadas no trato com o outro.

… CAPÍTULO 9

Trabalho com significação

Faço o que faço porque a minha obra, o meu legado, aquilo que realizo me torna alguém que não é fútil, descartável? Faço o que faço porque isso me dá satisfação e orgulho? Ou faço o que faço porque tenho de fazer e, se não fizer, pereço?

Essa última possibilidade é concreta. Afinal de contas, como dizia o já citado Marx, a primeira intenção de todo ser vivo é manter-se vivo.

Nesse sentido, se eu faço só por fazer, porque não há outro modo, não deixa de ser um razão, mas é a pior. Porque é a mais óbvia, mais básica, e é a que nos aproxima de outras formas de vida. Outros animais fazem o que fazem porque não têm como não o fazer. Portanto, é uma vida automática, robótica, já determinada.

Se eu desejo uma vida com consciência, com a recusa à alienação, se quero algo que me leve ao pertencimento de mim mesmo e daquilo que faço, preciso ter razões que sejam mais sólidas do que apenas argumentar a necessidade de sobrevivência.

Há momentos na vida em que, de fato, não há alternativa. Temos de fazer algo que nos garanta a sobrevivência. Todo organismo, para ir além naquilo que deseja, precisa manter-se em estado de funcionamento. Em alguns momentos da nossa trajetória, foi necessário fazer coisas para garantir a sobrevivência naquela circunstância.

Já houve ocasiões em que, se pudesse escolher, isto é, se não fosse obrigado a fazer determinada coisa, não faria. Não porque aquilo fosse imoral ou descartável, mas porque não era algo que me colocava na rota dos meus motivos. Tratava-se de uma necessidade e não de uma liberdade.

Quando falamos das razões, estamos nos referindo ao reino da liberdade. A própria ideia de necessidade é o reino da carência, não é a melhor razão. É uma razão pela qual faço o que faço.

Em relação a qualquer coisa que se faça, a melhor razão é porque eu quero e não porque eu preciso.

Isso significa que me recuso a fazer o que preciso? Claro que não, seria tolice. Vamos imaginar que eu esteja em uma circunstância qualquer de rarefação material, de dificuldade, em que preciso de um acréscimo nas coisas que faço para poder garantir minha sobrevivência. Nessa hora, até farei o que não quero, mas aquilo que eu preciso. Isso não é deselegante, nem desonroso, a menos que seja algo absolutamente antiético.

Se tenho clareza da circunstância, tenho motivação. Preciso colocar um filho na escola, algum familiar necessita de um tratamento médico de alto custo, ou devo apoiar uma ação na minha comunidade, então coloco minha energia num projeto cuja racionalidade no ponto de partida é a necessidade, mas não aonde quero chegar.

Porque posso, sim, me agradar, me alegrar com o que eu faço apenas porque fui obrigado a fazê-lo, desde que não torne a obrigação um suplício. Que a obrigação seja uma circunstância a ser enfrentada, e não um castigo que os deuses colocaram sobre as minhas costas e que eu preciso superar.

Há pessoas no mundo do trabalho que encaram o que fazem como uma provação. Deus ou qualquer força o está provando, para que ele seja depurado. Por isso, é um sofrimento purificador. Não se encara aquilo como um inferno, mas como uma chance de salvação. E isso pode fazer com que o propósito seja seguir de maneira obsequiosa, sem reclamar.

No conto *O capote*, do escritor Nikolai Gógol, nascido no que hoje é a Ucrânia, tem aquele típico funcionário que passa a vida cumprindo tarefas burocráticas e, por mais que seja tripudiado, humilhado, segue inabalável em sua rotina.

Há também outro tipo, para o qual esse sofrimento não irá purificá-lo, mas redimi-lo, reconhecê-lo como alguém de valor. É o caso de *A jornada do herói*, do antropólogo norte-americano Joseph Campbell, estudioso de mitologias (em que o herói sai do mundo comum em busca de uma meta, superando provações e agruras para conquistá-la). Existem pessoas no universo do trabalho que se comportam como mártires que, em algum dia, em algum momento, vão obter a glória.

Aquele que entende o trabalho como provação, em que o sofrimento é inerente ao esforço do trabalho do dia a dia, acha que precisa ser passivo, paciente, porque um dia desfrutará de melhores condições e, portanto, precisa passar por isso.

O outro entende ser vítima de uma estrutura que um dia chegará ao fim. "Estou sendo vitimado, mas haverá um momento de redenção." Ou ainda: "As pessoas me perseguem, não gostam de mim, porque sou mais competente do que elas, não sou promovido porque elas têm medo de mim, mas em algum momento a redenção virá".

Existem pessoas que seguem essa direção, isto é, cujo propósito é vingança. Haverá uma hora para dar o troco, o que me lembra uma frase em para-choque de caminhão no Paraná: "Na subida cê me aperta, na descida nós acerta".

Com isso, usa-se a estrutura do trabalho como um local para exercer as pequenas idiossincrasias que envolvem manias e medos. O espaço do trabalho é um território em que se encontra uma fauna imensa em relação a essas questões.

Mas é possível ressignificar algumas atividades. Isso pode vir ou por meio de uma tomada de consciência interna ou de uma atitude que parta do gestor.

Uma das áreas que mais têm dificuldade para estimular o funcionário é a de teleatendimento, *call center*. Por quê? Geralmente, trata-se de um jovem na faixa dos vinte anos de idade, no primeiro emprego, e que vai trabalhar ali por não ter experiência. Por conta dessa condição, ele receberá um treinamento para ser robótico. Logo, vai encarar aquilo como algo meramente transitório, enquanto ele não arruma um emprego melhor. Qual a principal dificuldade da empresa com esse grupo? Alta rotatividade. O *turnover* às vezes chega a 70%, justamente porque as pessoas estão ali de passagem. O propósito delas é ir embora. Vão ficando enquanto for preciso. Na hora em que não precisarem mais, pegarão o boné.

Como consultor, frequentei algumas empresas de telemarketing. Minha recomendação a elas foi para que mostrassem ao jovem que ele, de fato, estava ali de passagem, mas que não deveria perder a profundidade da experiência vivenciada.

Embora esteja ali transitoriamente, não adianta a empresa dizer para ele "você está num ótimo lugar", "vai crescer na empresa", "podemos oferecer cargos e salários", porque ele sabe que não é verdade. O que deve ser colocado é: "Nós sabemos que você está aqui por um período, você quer pagar a sua faculdade, e quando puder vai para outra atividade na qual tenha mais interesse". Mas isso não impede que, "enquanto você estiver aqui, de passagem, perceba quanto essa experiência pode contribuir profundamente para a sua formação. Você vai conviver com pessoas diferentes, vai enfrentar situações de conflito ao telefone, vai lidar com informações relevantes. Você vai sair daqui preparado para dar outros passos em sua carreira".

Nas empresas em que essa lógica foi colocada, houve uma diminuição significativa da rotatividade.

Afinal, seria possível dizer que, assim como tenho uma postura de pouco envolvimento porque estou de passagem pela empresa, também estou de passagem na vida.

Eu estou tão de passagem quanto o meu primeiro emprego. Mas não é porque estou de passagem por esta vida que vou deixar de vivenciar a experiência com maior densidade, enquanto aguardo uma coisa melhor, que pode ser o paraíso, a eternidade etc.

Essa experiência que tenho aqui me faz, ela me forma e eu a faço. Eu dou sentido a ela.

Algumas organizações perceberam algo de especial na área de telemarketing. Uma delas, do setor financeiro, prioriza a carreira fechada e, na hora da promoção, aproveita o profissional que já estiver lá dentro. Só recorre ao mercado em casos de exceção. E todas as vezes que abriam vaga por promoção, apareciam candidatos de várias áreas e por último do telemarketing.

O que eles notaram: quem conhecia a empresa melhor? O telemarketing. Aquele funcionário que passa o dia inteiro explicando tudo para o cliente. Resultado: toda vez que abria uma vaga em outro departamento, eles começavam oferecendo ao telemarketing. Com isso, conseguiram funcionários bastante adequados para o cargo. O jovem rapidamente se qualificava na nova posição, porque tinha o conhecimento de tudo o que ouvia e falava no dia a dia.

A partir disso, passou a haver disputa para começar a trabalhar no telemarketing ou pedidos de transferência para o setor com o intuito de se candidatar mais facilmente às posições acima na hierarquia.

É fundamental que eu tenha clareza de qual é o meu propósito, se é amealhar um patrimônio, se é galgar posições numa carreira ascendente, se é ter um cargo do qual eu me honre, se é servir a uma comunidade. Qual a finalidade daquilo que faço? Insisto: não pode ser automático, robótico, alienado.

No *call center*, o meu propósito pode ser reunir condições materiais para dar outro passo, mas, enquanto estiver ali, eu não devo perder de vista esse horizonte, porque senão me enfraqueço e diminuo minha potência em relação àquilo que preciso fazer. Por isso, a construção do propósito é decisiva.

Aliás, por que o professor de cursinho não precisa pedir silêncio em sala de aula, enquanto o professor de ensino médio passa boa parte do tempo tentando controlar um grupo de quarenta adolescentes de dezessete anos? Porque no ensino médio o aluno está lá porque é obrigado. E ele está no cursinho porque quer entrar na universidade. O propósito reordena as nossas ações. Passar pelo ensino médio é passar. Outra coisa é estar num lugar para fazer algo em busca de um objetivo.

"Por que fazemos o que fazemos?" não é uma questão secundária em relação ao modo como levamos a vida.

CAPÍTULO 10

Ética do esforço

Vez ou outra, sou questionado se empresa é lugar de gente feliz. "É possível ser feliz com a vida que se leva no cotidiano das organizações?"

A empresa é um lugar onde posso construir uma parcela daquilo que pode me proporcionar situações de felicidade.

Mas quando alguém diz "Ah, eu quero fazer só o que gosto na vida", lamento, isso é impossível.

Tenho um vínculo fortíssimo com a minha atividade de docente. Mas não gosto de fazer uma parte das coisas que faço. E outra parte imensa eu gosto muito de fazer.

Gosto muito de dar aula, mas não aprecio corrigir provas. Quem gosta de ler cinquenta redações sobre o mesmo tema? Depois, mais cinquenta, mais cinquenta... Mas eu não posso não corrigir, porque, se deixar de fazer isso, não terei visão de como os alunos estão aprendendo e de como estou ensinando.

Quando estou escrevendo um livro, não gosto de fazer a releitura do material, a revisão, a correção gramatical.

Que atleta gosta de todos os dias de manhã seguir uma rotina de exercícios para praticar um esporte? É claro que ele gosta do jogo, da emoção da disputa, mas aquilo que está na estrutura, que cria as condições para ele competir, não é agradável.

É como uma dieta. Pode ser obrigatória para a pessoa não perecer, ou pode ser por razões de autoestima. Mas ninguém em sã consciência acha agradável uma restrição daquilo que aprecia comer.

O mesmo vale em relação ao mundo do trabalho. Se você é gestor de uma empresa, há demanda por reuniões constantes, além de uma agenda paralela de compromissos sociais, almoços com clientes, eventos da área.

É possível notar um comportamento marcado pelo hedonismo nas gerações mais jovens. Um posicionamento expresso pelo clássico "eu quero fazer o que gosto".

Evidente, eu também. Aliás, uma frase que falei numa entrevista repercutiu bastante: "Só um imbecil gostaria de fazer o que não gosta".

Claro, todo mundo gosta de fazer o que gosta. Mas é preciso ter consciência de que no desenrolar da vida profissional, para fazer o que se gosta, é necessário passar por etapas não necessariamente agradáveis no dia a dia. O caminho não é marcado apenas por coisas prazerosas.

O problema é que grande parte da geração atual foi criada sem a ideia de transição entre o desejo e o fato, entre a vontade e o sucesso, o anseio e a satisfação. Existem jovens de vinte anos de idade que nunca se deram ao trabalho de arrumar a cama ou lavar a louça. A raiz está na formação dentro da família.

Sob esse ponto de vista, alguns deles acham que, dentro de uma empresa, o chefe é uma espécie de pai ou mãe, ou seja, alguém que tem de provê-lo de tudo o que necessita, e isso não é a realidade. Uma parcela dessa geração chega ao mercado de trabalho sem a ideia de esforço.

E o que há de positivo na nova geração? Ela não quer um trabalho automático e robótico. Ela quer compreender a razão de estar fazendo o que faz.

Mas ela, por outro lado, nem sempre se prepara para o esforço que tem desgaste, em que não há prazer contínuo.

É preciso que os gestores trabalhem nessa dupla dimensão. Não deixar de oferecer às novas gerações a condição de poder fruir o local de trabalho como parte do propósito de sua própria vida, mas, por outro lado, mostrar que é necessário fazer coisas que não são prazerosas e fáceis. Para as coisas acontecerem, é preciso esforço.

Os gestores precisam lidar com esse desafio de modo a formar pessoas com compromisso, metas e prazos, mas sem perder o que têm de mais inovador. Isto é, não só a familiaridade com o digital, mas o senso de urgência, a mobilidade, a capacidade de inovação. Isso é uma força vital, altamente contributiva para o mundo das empresas.

Não posso, em um negócio, prescindir de pessoas que queiram viver algo novo. Mas também não posso aceitar que achem que a vida só funciona com o novo.

Menosprezar essa geração, por conta daquilo que nela é um desvio, seria uma tolice imensa. Faz muito mais sentido aproveitar o que ela tem a oferecer e procurar formá-la na direção daquilo que a fará crescer.

Em relação a essa ética do esforço, um caso que costumo contar é o do exímio pianista Arthur Moreira Lima. Após um concerto magnífico, um jovem foi até ele e falou: "Gostei demais do concerto, eu daria a vida para tocar piano como o senhor". E ele, de pronto, respondeu: "Eu dei. Foram quarenta anos de dedicação, de nove a dez horas diárias de esforço".

Cautela com a expressão "eu só quero fazer o que gosto". Para ter o resultado que eu gosto, nem sempre faço o que quero. Porque o desgaste é inerente a qualquer processo de produção: do tempo, do espírito, da peça, da natureza. E esse desgaste poderá ser negativo se eu não entender o sentido daquilo que estou fazendo. Mas, se existir um objetivo adiante, um propósito maior, esse desgaste será compensado pelo resultado.

Quem tem um trabalho maçante no dia a dia, um trabalho repetitivo, o taylorismo encarnado, não vai dizer que gosta daquilo. Mas pode gostar do resultado gerado por aquele esforço.

Conheço gente que, mesmo tendo passado o dia todo parafusando parte de um veículo numa linha de montagem, se orgulha do produto final. Quando olha e vê que tem parte naquilo, fica animado, pois tem a ideia de pertencimento e de que contribui para a realização do todo. Ainda assim, o trabalho em si não é agradável.

É animador ter a capacidade de concluir uma obra, mas ela exige esforço. Essa ideia de esforço não necessariamente é aquilo que nos compensa mais.

Quando eu era criança, tinha um sonho, principalmente às vésperas de uma prova de matemática, história, geografia: "Por que a gente não nasce sabendo? Se a gente nascesse sabendo, eu estaria tranquilo, não precisaria passar o meu sábado e domingo debruçado sobre os livros". Eu ficava quieto no meu canto, com dez anos de idade, tinha de estudar, ler, voltar, recapitular. Contudo, quando fazia a prova e tinha ali a satisfação – que é sempre provisória – de obter um bom resultado, aquilo me alegrava. "O esforço compensou."

Nesse sentido, parte das pessoas acha que o que elas fazem não compensa, porque é muito difícil, muito duro. Claro que é. No entanto, não há como não fazer isso da forma mais escorreita.

Steve Jobs dizia "que a única maneira de fazer um excelente trabalho é amar o que você faz". Sim, no entanto é mais fácil procurar gostar daquilo que se faz do que fazer o que gosta.

Eu posso pegar uma situação em que sou obrigado a ficar em repouso por razões médicas como uma circunstância para descansar, atualizar a leitura ou ouvir um pouco de música. Isto é, não é fingir uma circunstância, mas preenchê-la de outro modo.

Por isso, essa fixação hedonista de encontrar o prazer no mundo do trabalho, na empresa, é fora de propósito. Esse hedonismo marca negativamente a própria expectativa. Quem entra no circuito do trabalho desse modo acaba se frustrando rapidamente.

É ótimo para um jornalista fazer uma matéria e vê-la publicada num jornal ou numa revista, mas o trabalho de apuração, acordar de madrugada, checar informações, receber vários nãos enquanto se procura fontes, tudo isso é desagradável.

A agradabilidade tem um caminho anterior que não necessariamente é agradável. Talvez a frase mais clássica que traduza isso é a norte-americana "*no pain, no gain*" (sem dor, sem ganho).

É possível ser feliz na empresa?

A felicidade não é possível em lugar nenhum de maneira inteira, exclusiva, hegemônica. Agora, que a empresa é um dos territórios nos quais construímos nossas condições de fruição das circunstâncias de felicidade, não tenho a menor dúvida.

Apesar da possibilidade de encontrar no mundo do emprego o que nos felicita, isso também acontece em outros territórios.

Com uma diferença: trabalhar dá trabalho.

CAPÍTULO 11

Valores e propósitos

A ideia de consciência sobre os propósitos está ligada à noção de valores. Quais são os meus valores? O que eu acho que vale e o que eu acho que não vale? A minha vida valerá de que modo? É uma vida com ou sem valia? Que valia eu quero colocar nela? Para que serve essa vida? Qual é o meu papel dentro da estrutura em que atuo?

O campo ético é decisivo porque lida com os valores que me permitem ter uma conduta na vida. O propósito está conectado também a essa percepção.

Existem pessoas, no entanto, que podem ter maus propósitos. Apesar de possuírem uma ética maléfica, não deixam de ter valores e princípios de conduta.

Por isso, quem deseja uma vida decente precisa de valores e propósitos decentes, que não sejam destrutivos, autofágicos, degradantes. Bons propósitos são aqueles que elevam o indivíduo e a comunidade na qual ele está inserido.

O filósofo espanhol Ortega y Gasset afirmou "eu sou eu e a minha circunstância". Quando chego numa relação afetiva ou num grupo de amigos, não estou absolutamente isento do que carrego na minha história. O meu caminhar é feito com todas as minhas coisas.

Ora, se Ortega y Gasset classifica o indivíduo não como uma mera identidade, mas levando em conta a sua história com outros, o mesmo vale em relação a essa questão.

Qual o meu principal propósito de natureza ética? Me elevar, não ter uma vida degradante, mas elevar comigo toda a minha circunstância, aqueles que me acompanham. A ética entra nesse circuito porque o propósito da vida coletiva, e não só individual, deveria ser fazer com que a vida fosse melhor para todos e todas.

Essa força motriz interna é que muitas vezes faz com que pessoas mudem de atividade profissional ou redirecionem sua carreira.

Conheço casos, por exemplo, de um médico que largou a atividade numa clínica para trabalhar no resgate do Samu, e de um advogado que decidiu trabalhar num Tribunal de Contas, porque passou a encarar aquele afazer como uma tarefa cidadã. Esse esforço também é bastante forte no Terceiro Setor.

Tenho visto gente que entra no Terceiro Setor para organizar atividades como convicção, quase sempre em busca de identidade. "Eu sou da periferia, da favela, quero elevá-la. Eu vim do meio do povo e quero fazer com que isso faça sentido. Portanto, vou ganhar a vida desse modo."

Existe um firme propósito, que é servir. A finalidade primordial da função desenvolvida não é a aquisição material, mas a ideia do trabalho como consequência de servir a uma causa.

De modo geral, mesmo com as oscilações da economia, a motivação pecuniária deixou de ter exclusividade no mundo do trabalho.

Durante algum tempo, a lógica que imperava na busca de uma colocação profissional era: "Vou procurar um serviço porque quero sustentar a minha família, ganho um dinheirinho, dou educação para os meus filhos, vou embora em paz".

Isso foi exacerbado nas décadas 1980 e 1990, quando a aquisição do patrimônio passou a ser muito valorizada em relação ao resultado do trabalho.

Hoje, com o enriquecimento da nossa sociedade em comparação às décadas anteriores, já se observa que esse modelo do trabalho tendo como vínculo exclusivamente o acúmulo patrimonial não é mais tão significativo para algumas pessoas. Muita gente deseja que o trabalho traga satisfação, bens materiais, mas não seja focado apenas nisso, e que não bloqueie as outras frentes. Que o trabalho não impeça que se curta a existência, que se possa viajar, que se possa conviver com a família.

Isso não depende tanto do quadro econômico. Tem muito mais a ver com o esgotamento de um modelo anterior, no qual houve casos de grande infelicidade, de quem tinha a capacidade de trabalhar de forma intensa e acumular, mas não conseguia fruir de modo algum.

Aliás, essa ideia de juntar dinheiro e depois não saber o que fazer com ele me causa estranheza.

Exceto pelo lado da ganância de acumular por acumular, que é a do colecionador em busca de aumentar o acervo, qual a lógica desse comportamento? O que leva um empresário a trabalhar de segunda a segunda, dezesseis horas por dia, até o final da vida, e não almoçar fora, não brincar, não passear, não ver o mar, não contemplar a Lua?

Para mim, o pecuniário oferece um nível de gratificação extremamente limitado. Eu até me sinto bem de frequentar um restaurante em que aprecio a comida. Mas não posso almoçar três vezes no mesmo dia nesse lugar. Não faz sentido.

Eu quero fazer coisas que me engrandeçam para além do acúmulo de patrimônio ou da mera remuneração. Quero algo que me permita ser admirado.

Essa questão da admiração é séria. Eu desejo alguma coisa que me faça ser gostado pelos meus filhos e que eles queiram ser como eu. Isto é, a ideia de funcionar como uma referência positiva. Jamais passou pela minha cabeça ser admirado por ter um carro de luxo. Não descarto tê-lo, mas não quero ser identificado apenas como "o cara do carrão de luxo".

Existe uma insatisfação positiva, que é aquela de querer mais e melhor. Mas existe uma insatisfação negativa que induz a sofrimento, que faz com que não haja ponto de repouso ou de serenidade.

Toda insatisfação necessita de um ponto de serenidade, porque, do contrário, não se aproveita aquilo por que tanto se almejou. Se você passa o tempo todo em estado de sofreguidão, em busca de algo – mesmo que já tenha, quer sempre um patamar acima – sem que haja possibilidade de agregar aquilo como uso e fruição, qual o sentido? Volto ao caso do colecionador, o sujeito que tem uma adega de vinhos inacreditável, mas que está ali para ser exibida, não para beber.

Em outra ponta, há em parte da geração atual um movimento muito forte de recusa ao modelo dos pais. A ideia de trabalho era muito clara há duas gerações. Hoje não é tanto. Para algumas pessoas da nova geração, elas não precisam necessariamente existir nesse modo produtivo.

Uma parte da nova geração acha que o meio de subsistência não precisa obrigatoriamente advir de um emprego. Isto é, "eu tenho o direito de não fazer isso, posso viver de modo alternativo".

É uma vida desindustrializada, não no sentido de perder o acesso ao mundo do consumo, mas de ele poder fruir sem a perda de tempo que se considera que o pai teve.

O jovem diz: "Meu pai trabalha, trabalha, trabalha e não aproveita nada. Fazer isso para quê?". E o pai responde: "Mas é justamente porque eu faço isso que você pode não fazer. Mas você precisa fazer para os seus filhos poderem ter essa possibilidade".

Aí o jovem replica: "Mas de que adianta eu fazer para os meus filhos terem se eu não vou ter? Que lógica é essa de uma cadeia contínua, em que só há a reprodução do mesmo, se ninguém chegará ao ponto da fruição? Eu quero fruir".

Esse conflito expõe o contraste de crenças que cercaram o trabalho ao longo do tempo.

Para alguns, o trabalho é uma obrigação. Dentro do protestantismo, é inclusive uma obrigação moral. Toda a concepção weberiana (de Max Weber, intelectual alemão considerado um dos principais nomes da sociologia), advinda da percepção da ética protestante, colocará a ideia do trabalho como uma obrigação moral.

A ideia de ser vagabundo será introduzida no Ocidente, nos códigos penais, como infração. A legislação brasileira, até dez anos atrás, previa a vagabundagem como uma contravenção penal. Se você fosse parado por uma autoridade, pediam a sua carteira de trabalho. Não ter uma carteira de trabalho era sinal de vagabundagem. Tinha o nome de vadiagem na lei e podia levar a até três meses de detenção. A lógica era de que se não trabalha, é vadio; se é vadio, é imoral. Essa lógica perpassa, embora o mundo hoje tenha outra configuração.

É preciso encontrar o equilíbrio, nem a acumulação pela acumulação, nem a recusa irredutível ao trabalho. Isso só é possível quando se tem clareza de propósito.

Não existe uma condição na sociedade que viabilize a vida sem trabalho, mas existem algumas possibilidades de existência em outros âmbitos.

Pode-se entender vida como missão, é o caso hoje de grupos radicais religiosos, em que o jovem não se dedicará a uma atividade produtiva, mas a uma luta para conversão ou defesa religiosa, e esse será o modo ou o meio de existência.

A grande questão que se coloca é: a qualquer custo? Vale qualquer coisa desde que eu fique vivo? Então você começa a dar passos subsequentes em relação à própria ideia de uma vida com propósito.

Um dos apelos que o tráfico no Brasil (não só, mas especialmente aqui) exerce para arregimentar jovens é oferecer, além de condições de vida, perspectiva de poder. De alguém que é respeitado, que tem nome e é temido. Isto é, a perspectiva de ser alguém. Há vários modos de fazê-lo.

E no caso de quem não tem mais a questão da sobrevivência como premente, mas se envolve em maracutaias e apropriação indevida do dinheiro alheio? Por que faz o que faz?

É preciso cautela para não ser vitimado por essa pauperização de propósitos.

CAPÍTULO 12

Por que fazer?
E por que não fazer?

O questionamento "por que faço o que faço?" traz outra pergunta na sequência: "Por que não faço o que não faço?".

Há coisas que eu posso fazer, mas não devo. E há coisas que eu não faço porque considero indecentes. E porque acho indigno fazê-las – mesmo que alguém faça e isso seja uma regra não escrita de mercado – eu continuo preferindo não fazer.

Algumas mensagens da história ajudam bastante na reflexão. Uma delas está no evangelho de Marcos, que os cristãos acreditam ter sido dita por Jesus: "De nada adianta um homem ganhar o mundo se ele perder a sua alma".

Independentemente de se ter religião ou não, a mensagem é forte. Ela remete à identidade, àquilo que a pessoa é, ao que a torna alguém que pode andar de cabeça erguida e dormir em paz.

Nessa hora, aquilo que eu deixo de fazer é o que garante que eu não perca a minha alma. Na sentença "de nada adianta um homem ganhar o mundo se ele perder a sua alma", há uma acepção religiosa que entende alma como algo cuja perda causa a danação eterna. Mas, se meus princípios éticos não forem necessariamente orientados por convicção religiosa, posso olhar a ideia de alma como aquilo que eu me fiz e que não quero perder em mim, não quero perder de mim, porque não quero me perder.

Não quero me perder ao ser um profissional que transige com alguns valores, aqueles que fazem valer o que faço.

Pode surgir o argumento: "Ora, mas no mercado todo mundo faz". Certo, mas eu não faço. E o fato de todos fazerem não significa que isso seja correto. "Ah, mas se for assim, você não poderá competir." Essa é uma escolha.

Não existe decisão sem abdicação. Não existe escolha sem exclusão. Se eu entendo a minha vida como resultante de opção livre, consciente, deliberada, intencional, todas as vezes que escolho, sei que deixo outras coisas de lado.

Isso se aplica ao campo dos afetos. Quando escolho uma pessoa para viver comigo e mantenho com ela um pacto de fidelidade, excluo outras pessoas da minha relação sensual. Escolha implica abdicação.

Na esfera profissional, pode ser que seja preciso abdicar de crescer na carreira, de melhorar a condição financeira, de atingir a meta, mas não abro mão daquilo em que acredito, porque é o que me impede de me perder.

Por isso, com relação ao mundo do emprego e do trabalho, não só valem as minhas razões como também os meus senões. Aquilo que tenho como obstáculo tem a ver com o que os antigos chamavam de "escrúpulo", que significa "pequena pedra", no sentido de ser algo que pode me incomodar, mas também me preserva de fazer o que eu não devo. Até posso fazer, e eventualmente isso não causará outros impactos, mas sei que não devo.

Esse tipo de ideia se aplica à conduta dentro da empresa e também à conduta da empresa.

Compliance é uma palavra que passou a ser corrente no linguajar das organizações. Mas esse conjunto de disciplinas tem de estar nas práticas cotidianas. Qualquer descompasso entre discurso e prática atingirá a reputação da companhia, dado o grau de informação e a velocidade de difusão que se tem atualmente.

Nesse contexto, *compliance* ganhou um valor negocial muito mais forte. É um valor de sobrevivência no mercado, no que se refere ao modo como a empresa é olhada por quem está de fora e também pelo público interno.

Se houver fratura na coerência entre o que a empresa preconiza e o que pratica, a adesão e o engajamento dos funcionários sofrerão abalos. O trabalhador não é tolo, a ponto de se supor que possa ser requisitado para praticar algo que a própria organização não realiza no dia a dia.

Organizações que anunciam *compliance* como um de seus focos de atenção às normas e regras precisam praticá-la com muito mais rigidez, pois, do contrário, o cinismo fará desmoronar não só a reputação como também a lealdade das pessoas que ali trabalham.

Nessa relação, não cabe o "faça o que eu digo, mas não faça o que eu faço". A empresa precisa primar pela autenticidade, isto é, coincidir com ela mesma. Não adianta uma organização anunciar que atua no campo da responsabilidade socioambiental e não ter isso como prática.

Os sinais enviados por esse tipo de dissintonia não geram admiração, lealdade e atratividade.

Atualmente, uma das percepções mais fortes para quem chega ao mundo do trabalho é a admiração. Hoje, a área de produção tecnológica, as organizações de trabalho social ou aquelas empresas que geram bons resultados contribuindo para o bem-estar da comunidade na qual estão inseridas são as mais admiradas.

As pessoas não querem apenas ter o emprego, mas algo que dê sentido à sua existência, que as ajudem a ganhar a vida cuidando de outras vidas.

Houve um tempo em que os heróis das crianças eram policiais, bombeiros, médicos, cientistas que chegariam a encontrar solução para algumas doenças, não as pessoas que ganhavam muito dinheiro. Os heróis de hoje, no entanto, são aqueles que detêm poder ou bens. As figuras emblemáticas do mundo atual estão ligadas ao esporte, pelo fato de que é um meio que possibilita acúmulo de riqueza com velocidade. Isso, claro, nos casos dos bem-sucedidos.

Essa geração, contudo, está um pouco cansada de encenação e deseja um pouco mais de autenticidade.

Se essa autenticidade colidir com valores que são anunciados nas organizações em que há uma ruptura entre o dito e o feito, o laço de admiração fica fragilizado. Hoje, as pessoas podem caminhar para outras opções.

É fundamental que a organização entenda o impacto disso para atrair profissionais que poderão garantir a sua perenidade.

Esse princípio também vale para nortear o relacionamento com o consumidor, seja do produto ou do serviço. Uma parte da indústria, para seduzir mais o consumidor e entrar em melhor condição de disputa no mercado, adotou a tática de desmaterializar o objeto. O cliente não compra uma TV, mas uma experiência de imagem. Não adquire mais uma geladeira, mas uma sensação de proteção e conforto.

É um fenômeno curioso, porque transforma cada objeto num ectoplasma, de maneira que ele seja capaz de possuir o indivíduo por aquilo que ele carrega de fantasia.

Uma questão a ser refletida: será que o sujeito que está vendendo um pacote de viagem acredita de verdade que aquela é uma experiência insubstituível ou para ele aquilo é um pacote e se o cliente não comprar, essa experiência pode ser feita em outro lugar, por outra pessoa?

A fantasia funciona enquanto é possível acreditar nela. No momento em que corre o risco de perder a credibilidade, o propósito desaba.

Por exemplo, uma das áreas mais difíceis de se recrutar hoje é a do tabaco. Como é possível seduzir alguém para trabalhar nessa indústria? Há trinta anos, havia charme naquele ato. O artista fumava e era sinal de independência, o cowboy simbolizava a vida solta, destemida.

Hoje, qual é o encantamento da indústria do tabaco? A não ser que alguém diga para o jovem que é um serviço que se presta à sociedade, dado que há gente que queira fumar, não há outro argumento.

Obviamente aquele é um produto que faz mal, tanto quanto o consumo de bebida alcoólica. Ainda que se admita a bebida alcoólica como objeto de festividade, a recomendação de "beba com moderação" está sempre presente. Mas não se pode dizer o mesmo em relação ao cigarro, mesmo que algumas comunidades façam celebrações em roda com a presença do fumo. Mas essa condição antropológica não é suficiente para demover a associação do produto às doenças que ele causa.

Uma parte da indústria hoje encontra grande dificuldade de se afirmar, quando se pensa na perspectiva de oferecer propósito. Há outras, no entanto, que são encantadoras.

Uma coisa altamente sedutora é convidar um jovem para atuar numa área de proteção ecológica. Trabalhar com engenharia ambiental, com segurança alimentar, com tecnologias que ajudam a economizar recursos, com os cuidados da saúde e bem-estar etc.

Há muitos caminhos honrados, há muitos negócios decentes; é procurar não desperdiçar tempo – tempo é vida.

CAPÍTULO 13

Tempo, tempo, tempo...

Como o trabalho ocupa uma parte significativa do nosso tempo, ele acaba se relacionando com outras dimensões da vida. A quantidade de horas que passo absorvido nas atividades profissionais pode colidir com o tempo que eu gostaria de dedicar à convivência com a família.

Essa condição existe, e é séria, porque somos seres pluridimensionais, agimos em várias frentes. Eu gostaria imensamente de ficar muito mais tempo com os meus filhos, com a minha mulher, mas, se fizesse isso, não teria os bens à minha disposição que me permitem fruir algumas situações com eles, como a casa onde nos encontramos, o passeio que fazemos etc. Para formá-los, me dedico ao mundo do trabalho e do emprego com uma intensidade muito forte. Mas, ao fazê-lo, restrinjo o meu tempo de convivência.

Estamos sempre lidando com dilemas. Há quem paute sua trajetória por decisões sensatas e equilibradas.

Outros chegam aos sessenta anos de idade e dizem: "Meu Deus, passei a vida inteira acumulando e agora não tenho mais tempo".

O nível de gratificação ou de remorso dependerá muito de como se despendeu esse precioso recurso chamado tempo. Por exemplo, vários de nós utilizamos o tempo para acumular coisas que nos permitem cuidar melhor de pessoas, no campo da saúde e da educação, para que essas pessoas tenham uma existência mais digna.

Nessa hora, a questão é qual é o propósito maior que carregamos?

Alguém que passa a vida cuidando de uma criança com algum tipo de deficiência não poderá chegar aos sessenta anos de idade dizendo: "Passei a vida cuidando de alguém". Sim, era essa a tarefa para a qual você se dispôs.

Afinal de contas, há um nível de escolha em relação a algumas coisas. Aquilo que é imposição está fora do campo da escolha. Mas a escolha pode ser feita e olhada como algo que valeu o esforço ou como um tempo em que fui privado de várias outras situações, fazendo com que eu tenha uma dívida comigo mesmo pelo que não fiz, pelo que deixei de viver ao longo do tempo.

Eu não considero que desperdicei tempo na minha trajetória. Tudo o que fiz, o tempo que utilizei para algo tinha uma finalidade que ultrapassava o campo do desperdício. Não deixei nada fora, não descartei nenhuma possibilidade.

Ao contrário, quando olho hoje para meus filhos e netos, vejo o meu tempo ali também. Quando nos juntamos em volta de uma mesa, quando vejo a foto de todo mundo reunido, aquilo me dá um nível de satisfação imenso e penso: "Que tempo bem usado!".

Se eu gostaria de passar o dia todo com quem eu quero? Sim. Mas também há um nível de fastio nessa situação. É preciso produzir saudade nas pessoas. A presença contínua se torna extremamente enfadonha.

Somos acometidos pela sensação de valorizarmos sempre o que não estamos fazendo. Uma espécie de nostalgia que nos acompanha. E isso também tem a ver com o fato de que escolher implica abdicar de algo.

Nós somos seres de insatisfação. Há muito tempo havia um joguinho, que era um quadradinho de plástico com letras ou números dentro dele, e você os movimentava para formar uma frase ou uma sequência numérica. Um passatempo simples, mas que carregava uma lógica interessante. Para você mover o jogo e fazer uma sequência, precisava do espaço vazio, senão não havia o movimento.

O que é o ser humano? É a capacidade de ter essa lacuna. Uma vez preenchida, estamos desumanizados. De maneira geral, um cão, um gato, um cavalo já estão com o seu jogo preenchido. Não há espaço de movimentação. Ele é o que é. Ele não pode ser de outro modo, não por si mesmo, apenas se houver uma força externa a ele. Mas eu posso. Consigo montar o meu jogo de outros modos. Mas isso exige que eu tenha o tempo todo uma lacuna interior.

É o que o filósofo alemão Martin Heidegger chama de angústia, que é a sensação do oco.

Pode até soar estranho falar de um ser preenchido como nós, tendo a sensação do oco. Aquela que aparece quando você acorda e "unhnnnn, não sei". A definição é mais sensorial do que intelectual. Você puxa a gola da camisa, e diz com estranhamento "eu não sei..."

Heidegger dava valor à angústia porque, segundo ele, era a sensação do nada. Isto é, todo sentimento tem um objeto. Alegria, raiva, inveja, mas a angústia não tem. Você só a sente. Você sente o oco, e o oco é o vazio.

E passamos de Heidegger para o seu conterrâneo Friedrich Nietzsche, quando expressa a imagem de que você olha para o abismo e o abismo olha de volta para você. Essa é uma sensação assustadora. Heidegger valorizava essa percepção ao dizer que, como a angústia é o nada, e o nada é a possibilidade plena, era nesse ponto que você iria se encontrar.

Quando o sujeito tem a sensação do nada, tudo passa a ser possível. Por isso, a escolha se dá a partir da angústia.

Mas não há a possibilidade de preencher essa lacuna. Pois, uma vez preenchida, acaba a possibilidade de liberdade. Nesse sentido, um nível de insatisfação é extremamente benéfico para nós, porque ele impede o nosso automatismo.

Os caminhos que tomamos são fruto de escolhas. Vale lembrar que prioridade é uma palavra sem plural. Se você põe um "s", deixa de ser prioridade. Quando ouço alguém dizer que tem duas prioridades, eu digo, "então você não tem, precisa fazer uma escolha". A prioridade requer exclusividade. Se você deu conta dessa, estabelece outra, ou então abandona essa e passa para a próxima.

As minhas prioridades ao longo da vida se constroem *a priori* ou *a posteriori*? Vou ver qual caminho sigo depois que eu já estou fazendo algo? Não.

Em princípio, preciso pensar em quais são as minhas metas e prioridades no meu tempo e vou escalonando cada uma sem o "s". Nessa hora, a noção de propósito é fortíssima.

O que você deixou de fazer e deveria ter feito? O que você escolheu porque era mais cômodo? As escolhas terão seu custo. É preciso desenvolver uma capacidade de autorrevisão e reflexão a respeito delas.

CAPÍTULO 14

Futuros e pretéritos

"Um dia, quando tiver tempo, vou fazer aquilo de que gosto." "Assim que tiver melhores condições, vou me dedicar ao meu sonho." "O meu plano, quando me aposentar, é finalmente fazer aquilo que me dá prazer."

Frases dessa natureza são muito comuns em pessoas que alimentam a ideia de um dia se livrarem das atribulações do cotidiano e enfim se ocuparem da atividade de que realmente gostam. Esse projeto está invariavelmente num futuro.

Temos, como humanidade, a percepção de que um dia fomos felizes. Em determinado momento, quando éramos mais simples, foi construída uma percepção de Éden, onde já vivemos, e a ideia de que voltaremos a esse lugar.

Há uma conexão entre *O paraíso perdido*, do poeta inglês John Milton, e *Em busca do tempo perdido*, do escritor francês Marcel Proust. A sensação de que um dia nós vamos voltar a uma situação que desejamos.

Para uns, esse momento de retorno e tranquilidade está na morte. Para outros, na aposentadoria. Isto é, "no dia em que eu parar de ter essa atividade intensa, vou curtir os netos, vou passear, vou pescar...".

Nessa ocasião, se você não tiver um planejamento que tenha provido recursos para isso, se a sua saúde não estiver adequada, você vai passar o resto da sua existência cuidando de ficar vivo e não necessariamente realizando os projetos que ambicionou quando tinha menos tempo disponível.

A procrastinação contínua é um distúrbio.

Ela é, acima de tudo, um indicador de que a pessoa tem medo de realizar aquilo. Isto é, ela tem um temor, porque se realizar o que tanto desejou, pode não ser aquilo que, de fato, vai felicitá-la.

Ter em mente "um dia vou ser bailarino", "um dia vou ser escritor" e não o fazer permite que se viva o sonho, portanto, se viva muito mais a expectativa do que a realização. Porque existe uma espécie de xeque-mate: no dia em que chegar a hora, vai ter de ser.

E como disse o genial poeta português Fernando Pessoa: "Na véspera de não se partir nunca/ Ao menos não há que arrumar malas". E esse "não há que arrumar malas", grafado por Pessoa, é amanhã, depois de amanhã, depois de depois de amanhã... indefinidamente.

Essa ideia de expectativa como aquela que acalma é de quem de fato teme a realização. Por que, depois, qual seria o próximo passo?

O poeta chileno Pablo Neruda brincava com uma ideia irônica: "Escrever é fácil, você começa com uma letra maiúscula e termina com um ponto final. No meio você coloca ideias". Que dá para começar com uma letra maiúscula e concluir com um ponto final, sem dúvida, mas as ideias que estão no meio você demora décadas para conseguir.

Por isso, a procrastinação como maneira de fruição do imaginário é muito forte.

É o campo do desejo não realizado, numa perspectiva platônica, seja o desejo platônico entendido como aquele em que a pessoa se contenta com a representação. Pois é muito mais fácil romantizar a ideia.

Quem projeta "eu vou ser um pintor", com certeza não fica se imaginando desesperado, tendo de vender quadro, disputando mercado em galerias ou passando a noite inteira com crise de criação. Normalmente se imagina com a galeria lotada, recebendo homenagens, e tendo suas obras expostas em uma bienal. Evidentemente que se a pessoa não tiver esse sonho da bienal, dos quadros, não haverá o ponto de partida para fazê-lo.

O problema é que muitas vezes se esquece que para chegar a esse patamar há todo um processo desgastante, de uso do tempo e da vida, de esforço muito grande.

E, frequentemente, sai do campo do sonho e migra para o campo do delírio. E há pessoas que procrastinam porque elas desejam o delírio e não o sonho. O sonho é o desejo factível, o delírio é o desejo não factível.

Uma parte da procrastinação tem como fonte maior a ideia de que eu não quero realizar, mas apenas desejar que algo fosse assim. Como não será, não posso dar o passo naquela direção.

Alguns adiam para o período da aposentadoria: "Agora vou ter uma loja", "Agora eu vou ter um bistrozinho" ou, o que já foi moda, "Agora vou ter uma pousada". E o sujeito fica um tempo imenso desesperado porque não era exatamente aquilo que ele queria, era a ideia da pousada, não a pousada real. Então é platônico.

Ele não queria o bistrozinho, era a ideia do bistrozinho que o seduzia, com as pessoas chegando, a comida feita num local charmoso.

Essa simpatia pelo sonho não é necessariamente a realização dele e muita gente se acalma quando carrega isso.

Eu conheço muita gente que diz "eu vou escrever um livro", mas não começa nunca. Ou fica na primeira página e diz "eu vou fazer, eu vou fazer…". Esse fazer, primeiro, dá um trabalho imenso e, segundo, uma vez feita a obra, não há garantia de sucesso. Se realmente for feita.

Há também um fenômeno psicológico interessante na outra direção. Uma espécie de "síndrome do por pouco…". O indivíduo que por pouco não se tornou jogador de futebol, por pouco não foi escolhido para o elenco de um musical, por pouco não bateu determinada meta.

E o sujeito vive um sonho de agora, de alguma coisa que no passado, não sendo, é como se tivesse sido.

Há dois resultados disso: aqueles que, tendo um sonho frustrado, passam a viver amargurados pela não realização e sentem que não há mais tempo para viabilizá-lo. Em vez de construir outro sonho, sofrem com o que não aconteceu.

E aqueles que imaginam o sonho como realidade e criam um nível de fantasia em relação a isso, que é resultante de uma inconformidade. "Eu não fiz, mas se eu tivesse feito... ah, se eu tivesse feito..."

Atualmente falamos com muita frequência sobre felicidade. "Eu quero ser feliz", "eu vivo uma vida infeliz", ou "estou infeliz no trabalho", "eu seria feliz de outro modo...".

Há uma obsessão muito forte por essa ideia de felicidade e, em grande medida, pessoas vivem muito mais a expectativa do que a realização.

O escritor francês Jules Renard anotou no diário dele, em 1893: "Caso se construísse a casa da felicidade, seu maior cômodo seria a sala de espera".

Afinal de contas, a expectativa criada, aquele movimento de inclinação a uma forma de desejo, que é ser feliz, é colocado numa fila de espera muito longa, em que se imagina: "Um dia eu vou sê-lo", "Um dia vou fazê-lo...". Isso, evidentemente, ajuda a movimentar as nossas intenções e ações, mas também precisamos percorrer o caminho. Enquanto aguardamos aquilo que virá, não podemos deixar de viver aquilo que pode ser vivido agora.

Não faz sentido ficar somente na espera.

CAPÍTULO 15

Eu era feliz e não sabia

Essa expressão tem aplicabilidade no nosso cotidiano. Muita gente costuma reclamar do dia a dia no trabalho, implica com uma série de coisas, se deixa afetar sobremaneira pelos contratempos. Mas, se por algum motivo, esses profissionais forem afastados daquele ofício, começarão a sentir falta da rotina, do convívio, e os aspectos positivos ganharão destaque na memória.

No mundo do emprego, o que entendíamos como maçante, desagradável, era apenas um componente menor de um movimento muito mais frutífero do que aquilo.

Quando estamos imersos em um ambiente monótono no mundo do trabalho, sem desafio, sem nada que nos estimule externamente ou que nos motive internamente, é muito comum prestarmos mais atenção na fechadura do que na maçaneta. E não abrimos as portas.

Nessa hora, é necessário lembrar que a constatação "eu era feliz e não sabia" é um sinal de inteligência, à medida que nós somos o único animal capaz de se sentir idiota. Porque nós temos uma consciência que é o tempo histórico, isto é, eu não vivo apenas o tempo, tenho percepção de passado, presente e desejo futuro.

Eu sou capaz hoje de me perceber com vinte anos de idade e de recordar algo que fiz naquela época e dizer "puxa, como eu fui tonto" ou "como eu deixei de responder a isso", "por que eu falei isso para ela?".

Essa é a capacidade de olhar a si mesmo como uma subjetividade que se objetiva, num movimento em que eu me vejo como se estivesse no palco e na plateia. Olhando no tempo, estou representando, mas também estou me assistindo.

No mundo do trabalho, essa é a capacidade avaliativa, crítica, de selecionar dentro do que tenho aquilo que de fato me incomoda e o que é apenas manifestação de alguma uma outra coisa. Pode ser que esteja faltando motivação porque estou entrando num processo absolutamente robotizado naquela atividade.

E não é que o trabalho não me ofereça desafios, eu é que não estou mais me oferecendo desafios. É aquele que diz: "Para mim, está bom assim. Deixa eu tocar minha vida, levar minhas coisas".

Isso vale para a vida.

Todos os dias, eu telefono para a minha mãe, que é idosa, e faço a mesma pergunta há décadas: "E aí, mãe, quais são seus planos para o futuro?". Eu fazia isso quando ela tinha sessenta, setenta, oitenta anos de idade. Enquanto ela me disser "Eu estou aqui, cuidando das plantas, pensando em fazer um curso novo na igreja...", isso me deixa animado com a vitalidade que ela está carregando.

Significa que ela não está amargurada com a rotina que ela tem como uma pessoa idosa. No dia em que eu fizer essa mesma pergunta e ela responder "Ah, estou aqui, Deus é quem sabe, já estou quase no fim...", ficarei em estado de alerta.

Um gestor dentro de uma organização precisa estar muito atento a esses sinais na equipe, não só em si mesmo.

Quando se nota que a pessoa está desanimada, é preciso separar aquilo que é resultante da circunstância externa àquele emprego – como uma crise econômica, por exemplo – do que é um desencanto com o trabalho.

A coisa mais gostosa da vida é o encanto, ter um trabalho encantador. Quando alguém perde esse encanto, que não é o encanto da novidade, mas o da vitalidade, começa a desistir.

Não ter desafios é um fator de risco para a motivação.

Há quem exagere no estabelecimento de metas. Aliás, a principal reclamação nas empresas é que quando se chega a uma meta, ela é elevada.

Mas essa é a própria condição do mundo dos negócios, não há como ser diferente. Afinal de contas, quando uma meta é estabelecida em relação a resultado e lucro, e é colocada no tempo, existe, na economia, um processo de corrosão de valor financeiro, e esse tipo de situação é atualizado pela elevação da meta.

Se neste ano a meta era 120, e durante o período estabelecido nós chegamos a esse patamar, mas tivemos uma depreciação do valor da moeda, ou seja, um processo de inflação, isso significa que se a empresa mantiver para o próximo ano a mesma meta de 120, terá um decréscimo no resultado.

É sempre necessário entender a elevação da meta, o mesmo vale no esporte. Ninguém se anima em ser campeão, o gostoso é ser bi, tri, tetracampeão.

E se aplica também ao patrimônio. Quem tem uma casa com dois quartos, se pudesse teria uma maior, ou gostaria de ter um carro melhor ou de viajar mais. A ideia de escalar é inerente à nossa condição.

Evidentemente as pessoas dizem: "Puxa, qual foi o nosso prêmio por bater uma meta? Ter que bater uma meta superior?". Mas isso não tem a ver com a meta em si, mas com a lógica da lucratividade. Se vivêssemos em uma economia planificada, como durante a economia socialista soviética de Estado, não haveria essa questão. A meta apenas se repetiria, mas essa experiência não foi adiante, portanto, não podemos saber como seria. Na organização capitalista ou se eleva a meta ou se retroage.

A regra no mercado é aquele paradoxo que a Rainha Vermelha prescreveu para Alice, no livro *Alice através do espelho*, de Lewis Carroll; quando Alice, após correr por muito tempo, de mãos dadas com a rainha, percebe, espantada, ter ficado no mesmo lugar, aquela lhe diz:

> Aqui, sabe, é necessário toda a corrida que você tem para se manter no mesmo lugar. Se você quer ir a um lugar diferente, você deve correr pelo menos duas vezes mais rápido que aquilo!

CAPÍTULO 16

Lealdade à empresa até quando?

A empresa muitas vezes é um local onde se vivem dissabores, coisas que tiram o sabor do que se está fazendo. E passa a não ser mais agradável estar naquele ambiente.

O que torna o trabalho dissaboroso? Ausência de reconhecimento, injustiça na promoção, desprezo em relação àquilo que faço, humilhação no cotidiano, assédio moral, portanto, tudo o que tira de mim o prazer, o gosto de estar ali.

Nessa hora, é necessário avaliar se aquele tipo de dissabor é relevante ou pode ser colocado à margem. Se ele é decisivo para o meu bem-estar, se não for eventual ou circunstancial, preciso alterar a rota e me preparar para essa mudança.

Porque engolir sapo o tempo todo é algo que se pode entender como um sinal de coragem ou persistência, mas muitas vezes é sinônimo de covardia, isto é, alguém está submetido a um sofrimento no cotidiano e vai se conformando: "Eu sou mais fraco…".

Ninguém deixa de ter dissabores naquilo que faz, mas, quando isso é frequente, a empresa precisa estar atenta aos seus gestores.

Uma das coisas que mais amarguram as pessoas nas empresas é a injustiça, na forma de proteção e privilégio de outros.

Um gestor que cuida de uma equipe precisa observar as relações. Várias empresas fazem pesquisa de clima: "Como está o nosso ambiente? A comunicação? A percepção de reconhecimento, o nível de lealdade?".

Para algumas empresas é difícil trazer à tona a lealdade nos tempos atuais, porque ela era entendida por muito tempo como reciprocidade. Isto é, eu me dedico à empresa e ela cuida de mim. Como? Oferecendo plano de saúde, clube, ajudando na escola para os meus filhos. No fim do ano, tinha bônus, cesta de Natal e festa de confraternização. Ela me oferecia isso, e eu trabalhava.

Nas duas últimas décadas, a noção de lealdade se modificou. Por quê? Havia uma perspectiva de que eu seria valorizado pelo meu trabalho, se ficasse muito tempo na mesma empresa, que, por seu turno, fazia de tudo para que eu permanecesse ali. Nos últimos vinte anos, porém, começamos a ter um *turnover* muito forte.

Porque se colocou algo muito negativo no mundo do trabalho: no discurso, as pessoas eram tidas como "o mais importante ativo da empresa", mas, diante da necessidade de cortar custos, eram alvo prioritário.

Nos últimos anos, um fator decisivo na questão da lealdade foi a crise que eclodiu no setor financeiro nos Estados Unidos a partir de 2008. Por ser uma economia internacional, essa crise levou a uma modificação séria de alguns patamares de emprego.

Mesmo com as reengenharias dos processos de ajustes da globalização nos meados dos anos 1990, ainda se dizia que "o nosso mais importante ativo são as pessoas". Muitas companhias deixaram de se referir a seus quadros como empregados, adotaram o termo "colaboradores", o crachá deixou de assinalar a hierarquia e uma série de outras medidas de caráter simbólico.

No entanto, aos primeiros sinais de turbulência econômico-financeira, o facão passou exatamente nas pessoas.

Como diz o caipira, "pau que dá em Chico, dá em Francisco", e isso produz um abalo também no clima organizacional, as pessoas ficam em estado de tensão esperando chegar sua hora.

Hoje algumas empresas se deram conta do quanto isso é tolo. Corporações com inteligência estratégica dão especial atenção a esses momentos, de modo a evitar feridas que não serão sanadas.

Quando se tem necessidade de encolher custos, num primeiro momento, talvez seja mais interessante focar no material, no planejamento, no reposicionamento do produto no mercado e, eventualmente, na redução momentânea da rentabilidade para o acionista. Porque a consequência do corte de pessoas é muito negativa.

Quando a empresa dispensa o funcionário, não diminui apenas custo, perde investimento. Porque passou anos investindo na formação daquele indivíduo. No momento de retomada de fôlego, será necessário reinvestir. É um desperdício de capital.

Algumas indústrias, sobretudo a automobilística, usam em alguns momentos uma inteligência específica nessa área. Em vez de fazer a dispensa de cara, busca-se um acordo para reduzir o número de horas trabalhadas e diminuir o percentual do total, para que todos mantenham o emprego.

Claro que existe uma pressão sindical que influi nessa decisão, mas também há uma inteligência da organização para não descartar aquele capital, na suposição de que, havendo a retomada do mercado, ela terá de formar uma equipe novamente.

Isso só não se aplica àquelas áreas que estão deixando de existir, como escola de datilografia, empresa que conserta fax...

Eu serei leal se eu for cuidado. Mas o modo de ser cuidado mudou.

Não quero mais só a escolinha para o meu filho, a creche. Isso está na lei. Além do mais, sei que a empresa abate isso do conjunto dos custos dela. Eu sei que ela tem direito legal de abatimentos. Portanto, não entendo mais esses benefícios como manifestação de afeto, mas como uma forma de elisão fiscal, de abatimento legal de tributo.

Mas a lealdade é cativada de outro modo, quando eu tenho reconhecimento, quando as pessoas são transparentes comigo, quando fico sabendo com clareza dos planos para o futuro, quando não sou tratado apenas como uma peça na engrenagem.

Agora, se eu percebo que estão tendo uma relação cínica comigo, que há hipocrisia no circuito, então não há motivo para ter lealdade. Eu toco o meu serviço enquanto me interessar, quando não interessar mais, saio fora.

CAPÍTULO 17

Desenvolvimento gera envolvimento

Quando as noções de educação continuada e educação corporativa apareceram, no início dos anos 1990, a ideia central era a empresa estruturar modos de formação dos seus trabalhadores fora do meio acadêmico ou em parceria com as instituições de ensino.

Paralelamente, surgiu a percepção do autodesenvolvimento. Isto é, eu não aguardo apenas aquilo que a empresa disponibiliza para mim, mas procuro aprimorar a minha qualificação. E, muitas vezes, faço esse processo em acordo com a empresa, que facilita situações de autodesenvolvimento, seja remunerando uma parte do curso, seja liberando uma parte do tempo de trabalho para a dedicação aos estudos.

Passadas três décadas desde então, é evidente que nenhuma empresa quer deixar de fortalecer a competência de seus funcionários. Mas o empregado não pode abrir mão de procurar, por conta própria, a sustentação da sua empregabilidade, que ele conquista quando, mesmo com as mudanças no mundo do trabalho, permanece apto e desejável para produzir com alto desempenho. Esse é um conceito decisivo, surgido nessa mesma época, e que se mantém com força até hoje. Nessa busca por qualificação, a responsabilidade pelo autodesenvolvimento é do próprio colaborador.

Como profissional, ele pode procurar um curso, uma especialização ou um MBA. Ao fazer isso, ele tem dois movimentos possíveis: ou toma essa decisão para não ficar desparelhado em relação aos colegas que já fizeram, e isso será levado em conta como um critério de manutenção do emprego ou promoção, ou faz porque julga necessário adensar a sua competência.

De qualquer modo, esses dois movimentos partem daquilo que é motivador dentro dele, seja se tornar mais competente naquilo que faz, inclusive como uma questão honrosa de ser melhor para si mesmo, seja pelo estímulo externo da empresa, ao favorecer que ele assim o faça, ou até como sinal de alerta, de fazer com que ele se sinta ameaçado.

Essa necessidade de qualificação aparece hoje como uma urgência.

Há trinta anos, um trabalhador poderia entrar no mercado de trabalho e passar algumas décadas apenas reproduzindo o que já sabia. O restante aprendia na famosa "escola da vida", que ainda continua tendo um percentual relevante na nossa formação, mas a vida ficou tão acelerada no cotidiano que é necessário turbinar o aprendizado proporcionado por essa via.

Esse incremento vem por atitudes intencionais: ou a empresa o faz ou eu procuro. Ou se juntam as duas vertentes.

Do ponto de vista da retenção, um profissional terá muito mais interesse em permanecer numa empresa que lhe ofereça oportunidades de aprimorar suas competências.

Um local de trabalho que tem uma ambiência pedagógica (não precisa necessariamente ter uma sala de aula, um local físico, embora possa ter), mas aquele ambiente em que o profissional se sinta ultrapassando aquilo que já sabia, em que haja uma permeabilidade de um aprendizado recíproco, ao ensino partilhado.

É gratificante deixar um lugar na sexta-feira ou no sábado pensando: "Eu não estou terminando a semana sabendo a mesma coisa que eu sabia na segunda-feira". A expressão que se usa é "aqui eu tenho oportunidade de crescer".

E o crescimento não é só de carreira no sentido monetário ou de hierarquia. É a sensação de que se está crescendo profissionalmente.

Eu me lembro que nos meus primeiros cinco anos como professor na PUC de São Paulo tinha uma alegria imensa. Era um tempo de um cansaço grande também, mas havia uma efusividade latente, porque a convivência com professores mais experientes e as situações a que eu era submetido em sala de aula e nas reuniões pedagógicas me faziam ir feliz para casa no sábado. Eu havia cruzado algumas fronteiras de conhecimento.

Sentir-se mais capaz, mais competente é algo absolutamente gratificante.

Há pessoas que usam como critério de permanência ou de entrada em um lugar a frase: "Lá eu vou aprender".

Claro que ninguém só aprende. Todo mundo aprende e ensina, mas a frase retoma a percepção antiga do aprendiz. Assim como existe o termo "menor aprendiz", gosto de brincar que eu sou um maior aprendiz. Porque essa é uma postura a se levar na vida. Eu continuo em aprendizado.

Há locais onde aprendi imensamente. Em outros, apenas repeti o que sabia, e saí com a mesma bagagem que havia trazido. Assim como é gostoso ir para uma viagem e trazer na mala mais coisas do que havia levado. Não pelo consumo, mas pelo fato de que aquilo indica que houve fruição no lugar onde se estava.

Pela viagem no mundo da carreira isso também é decisivo: o desejo de sair com mais coisas do que havia trazido no ponto de partida.

Essa permeabilidade do aprendizado, a capacidade de buscar um território desconhecido, tudo isso é altamente motivador.

Há empresas que são estimulantes em relação a essa questão, inclusive algumas delas o fazem de modo sistemático, criam círculos de conhecimento. Por exemplo: a cada quinze dias, é realizada uma reunião com profissionais seniores na organização, ocasião em que o funcionário pode apresentar suas ideias e projetos e ouvir o que eles têm a agregar àquelas propostas.

Algumas empresas fazem disso momentos de inovação. Desse modo, passam a ser um lugar onde não apenas se aprende, mas se ensina, aparecem ideias, percepções, *insights*, e eventualmente onde se premiam aqueles cuja ideia contribui para a performance da empresa.

É gostoso estar num lugar onde muito se aprende.

Portanto, um ambiente que me faça crescer é encantador.

CAPÍTULO 18

Motivação em tempos difíceis

Existem momentos em que o vento muda de direção. A economia pode passar por crises, o setor deixar de ter a pujança de outros tempos ou a empresa perder posições no mercado.

Nesses períodos de baixa, como encontrar motivação para continuar em busca de melhores resultados? Imagine o ânimo de um representante comercial que tem de pegar a pastinha e ir em busca de clientes quando o mercado está pouco ou nada comprador.

Lidar com essas alternâncias também faz parte do aprendizado na carreira.

Devo lembrar que o nosso país passou por um período de dez anos de exuberância econômica até 2013. De 2003 a 2013, o Brasil viveu um forte ciclo de crescimento, com vendas, aquisição de veículos, incentivo ao consumo de linha branca e boa parte da população foi bancarizada. Hoje somos um dos três países do mundo com mais produtos digitais, em que o número de celulares é maior do que o de habitantes. Depois, veio um período de vacas magras, de dificuldade.

Ora, assim como um representante de vendas aprendeu a viver a fartura, precisa aprender a viver a restrição.

Não é agradável ter restrição, nunca o é, mas aprender a lidar com isso faz parte da formação da carreira de alguém. Assim como quando sofremos algum percalço na saúde e precisamos aprender a fazer dieta, a nos privar de comer alguns alimentos que nos dão satisfação.

É preciso encontrar caminhos e compreender que são períodos.

Conhecemos histórias de pessoas à nossa volta que ficaram desempregadas por um tempo, depois se levantaram, foram para outro lugar, fizeram a sua carreira, aquilo foi um momento. Também sabemos de um ou outro que tomou um tombo e nunca mais se levantou.

Qualquer sistema de organização do mercado de trabalho é submetido a oscilações.

De modo geral, seria possível dizer que alguém muito competente dificilmente ficaria fora do mercado. Mas isso seria desconhecer que há situações de injustiça, por exemplo, quando a empresa dispensa alguém equivocadamente, ou quando a função exercida pela pessoa se tornou desnecessária dentro daquele contexto.

É claro que existem situações em que alguém poderá ficar desempregado por falta de empenho ou por conduta inadequada. Porém, individualizar a responsabilidade pela demissão é sempre muito perverso.

Falar para o profissional que se vê alijado do mercado de trabalho manter a calma é jogar palavras ao vento. Afinal de contas, passar por momentos de turbulência é algo perturbador. Mas ele precisa ter a clareza de que essa circunstância não é definitiva. Que nesse intervalo em que não consegue encontrar a ocupação desejada, é necessário abrir portas para outras ocupações, nem que seja de modo circunstancial, emergencial, para que ele garanta a sua manutenção no dia a dia.

Há pessoas que ficam o tempo todo em compasso de espera. É claro que muita gente demora seis meses, um ano até encontrar uma ocupação equivalente à que desempenhava. Mas, nesse ínterim, é preciso encontrar outras maneiras de se viabilizar financeiramente, seja pela venda de algum produto, pela colaboração em algum projeto temporário, pela disponibilidade para dar aulas particulares.

Eu sei que não precisarei fazer isso indefinidamente e que me dará a sustentação até que a circunstância mude.

Nesse momento, o que me motiva é a minha necessidade, mas também a percepção de que a situação não tem um caráter de durabilidade.

Haverá um momento no ciclo econômico em que poderei recuperar o fôlego e retomar a caminhada.

É necessário que quem perde o trabalho não se retraia a ponto de entrar num movimento depressivo. A ausência de vitalidade predispõe a pessoa a se fechar dentro de casa (e de si mesma), em vez de ir para fora procurar alternativas.

Não é fácil sair todos os dias de manhã, arrumado e esperançoso, em busca de um trabalho e voltar à noite sem ele. Mas ficar em casa – por conta do esforço que se despende e da chateação que é enfrentar todas as etapas dessa busca – não compensa de modo algum.

Porque aquele ou aquela que se empenhar todos os dias pode não encontrar, mas não será derrotado pela situação de não ter tentado. É difícil, gera intranquilidade, mas nessas horas é fundamental ter persistência.

Também é possível (e recomendável) aproveitar essa circunstância para investir no aperfeiçoamento de competências: estudar, ler, ter ideias, se informar a respeito de casos bem-sucedidos. Nem que seja passar o dia lendo numa biblioteca ou fazer um curso gratuito para aperfeiçoamento de alguma habilidade.

Posso ficar depressivo, afundado no sofá, vendo televisão? Posso ficar em estado de autocomiseração, com pena de mim? Posso, mas que não passe de três dias. Setenta e duas horas é tempo suficiente para eu ficar com dó de mim, me achar injustiçado (o que às vezes é um fato), mas eu preciso levantar, sacudir a poeira e dar a volta por cima, como lembra a música do compositor Paulo Vanzolini.

Quem fica sem trabalho evidentemente sofre um abalo na autoestima. E isso é compreensível, mas é preciso também entender que esse momento exige uma tomada de atitude no que se refere ao estado de espírito.

Como diria Shakespeare, "*or sink or swim*", "ou afunda ou nada". Sim, chateia. Sim, é ruim, mas é preciso se reerguer.

Alguém pode argumentar que esse é um momento de vida constrangedor.

Isso só faria sentido se a pessoa tiver sido a causadora daquela situação, a responsável por sua dispensa. Mas eu jamais ficaria envergonhado por conta de circunstâncias externas à minha própria capacidade. Se a empresa fechou, por exemplo. Se a operação foi suspensa ou se houve duplicidade de função quando a companhia foi adquirida ou fundiu-se com outra.

Eu dei aula durante quinze anos numa instituição de ensino que foi vendida. E eu não queria trabalhar para as pessoas que a compraram, por não as achar dignas dentro do campo acadêmico. E elas me disseram: "Ou você assina o contrato desse modo ou será dispensado". Eu fui embora. E tive vergonha disso? Nenhuma.

Tal como o tempo anterior foi de sol resplandecente, vez ou outra a penumbra vem.

Assim é na economia, assim é na nossa vida.

Eu já passei horas e horas trabalhando com alto desempenho. De repente, um vírus qualquer me deixa sem energia para fazer o básico. Mas tenho noção de que se trata de um ciclo e que vou encontrar forças para me levantar.

Posso ter sido derrubado, mas sei que não fui dominado. Essa consciência me dá coragem.

CAPÍTULO 19

Organizações com propósito

Várias organizações são encantadoras. Apesar de não renegarem o lucro, encaram-no como resultado de um trabalho com desdobramentos benéficos no âmbito social-comunitário. Não ambicionam um ganhar indiscriminado, independentemente do resultado da ação.

É uma ação consequencialista, isto é, em que se avalia a justeza do lucro também pelo resultado que ele produz na comunidade e não apenas como efeito da negociação de um produto ou serviço.

Há pessoas que encontram na empresa uma função social, que não é focada exclusivamente na lucratividade, mas faz bem à comunidade. Esse é um lugar em que é prazeroso trabalhar, portanto, tem um nível de atratividade maior.

Uma indústria de cosméticos, digamos, consegue criar vínculos com a preservação ambiental, com o trabalho solidário, e passa a atrair muitos talentos que se identificam com essa conduta.

Claro que essa projeção para a sociedade também faz com que a empresa seja submetida a um crivo o tempo todo, pois basta uma situação falsificada para desmontar essa imagem.

Existem empresas de investimento social e grupos de investidores que agregam capital que só apoiam companhias com retorno social. O jovem adere a uma empresa desse perfil com muito mais facilidade.

Por que faço o que faço? Porque o lugar onde faço o que faço produz um impacto positivo na comunidade, não é um lugar só para se ganhar dinheiro.

Fazer bem nos faz bem.

Isso cria uma lógica de que é possível conciliar lucro e boas ações, e ainda faz com que a concepção original da palavra "lucro" perca o sentido.

Até o Renascimento, *lucrum*, em latim, significava "engano". É de onde vem a palavra "logro", "lograr alguém", embora nós usemos também a expressão "lograr resultado", no sentido de dar certo. Mas originalmente *lucrum* remetia a engano.

Os caminhos da religião cristã no Ocidente têm impacto nessa alteração de sentido; uma vez que a religião é parte da cultura, isto é, do ambiente humano, ela não define tudo, mas influencia bastante.

Claro que a Igreja católica teve um peso nessa percepção, ao negar, especialmente no final do período medieval europeu, a possibilidade do lucro. Mas a Igreja reformada a partir do século XVI inverterá essa lógica ao colocar a ideia de lucro como resultado justo por um serviço prestado, um produto vendido e uma colaboração com a obra divina. A reforma luterana e mais tarde a reforma calvinista, especialmente, farão com que sejamos entendidos como aqueles que levam a obra de Deus adiante. Se Deus fez o mundo, nós continuamos. Se eu continuo, preciso receber algum tipo de benefício, que é o lucro.

Não é casual que o nascimento do capitalismo renascentista venha junto com a reforma protestante. E esse movimento altera a lógica de percepção sobre a salvação.

Segundo o cristianismo católico antigo, a pobreza salva. No mundo reformado calvinista, a riqueza é indício da salvação, apesar de não ser sua causa; por isso, em relação àquele que não tem riqueza, só posso ter uma atitude piedosa. No cristianismo católico, vou ampará-lo, e isso se chama misericórdia. No cristianismo reformado, serei evangélico e ajudarei o meu irmão, dado que ele não consegue sempre por esforço próprio.

É por isso que o protestantismo criou a expressão "o trabalho dignifica o homem", ao contrário das origens cristãs segundo as quais Deus provê.

O neopentecostalismo, presente nos séculos XX e XXI, junta as duas ideias: a de que Deus provê com a de esforço e contribuição aos que nos ajudam a sermos ajudados.

Para algumas pessoas, a motivação para trabalhar em uma empresa é o produto que ela comercializa.

Para outras, a adesão se dá pela possibilidade de trabalhar numa marca que carrega alguns signos com os quais têm simpatia.

Se o profissional admira um produto, a motivação pode passar por esse caminho e não apenas pelo retorno financeiro.

Uma novidade dos tempos atuais é que não existe uma trilha exclusiva do mundo da produção de bens ou serviços.

A inovação e a criatividade têm ferramentas muito mais poderosas do que as que nós tínhamos antes. Era muito difícil há vinte, trinta anos, criar um novo negócio. Enquanto estar num negócio que já existia era fácil. Mas criar uma *startup* hoje é uma empreitada facilitada em relação ao passado, inclusive pela virtualização das relações. Não preciso mais ter um posto físico para vender, comprar, aprender, juntar, trabalhar.

Nessa nova lógica de uma empresa que não seja apenas lucrativa, mas socialmente relevante, o critério de ter uma causa dá uma justeza ao esforço e ao lucro.

CAPÍTULO 20

A empresa me sustenta, eu a sustento

Há alguns anos, quando ainda não era tão nítida a discussão sobre sustentabilidade do ponto de vista da missão e dos valores, tanto na ótica empresarial quanto na do indivíduo, publiquei uma reflexão que retomo agora por ter ganho mais relevância.

Uma empresa precisa ter lucratividade, rentabilidade, produtividade e competitividade. A sustentabilidade nesses quatro tópicos advém de uma série de fatores: competência em seu setor, o tipo de produto ou serviço que oferece, a capacidade de planejar-se estrategicamente, os equipamentos de que dispõe, o posicionamento no mercado e a capacidade de analisar cenários futuros.

Mas também depende essencialmente do modo como ela maneja o estoque de conhecimento que detém, por meio dos colaboradores.

Ao investir em educação corporativa, não necessariamente a empresa estará mais bem preparada. Essa relação não chega a ser direta. O contrário, entretanto, é automático: não investir na formação implica uma perda significativa da competência e da qualidade.

Há uma clássica frase que todos sempre lembramos: "Se você não acredita que educação é um bom investimento, tente investir em ignorância".

Não existe uma relação direta, linear, entre formação e aumento de competitividade. Num mundo totalmente complexo, seria reducionista pôr essa questão sob um ponto de vista exclusivo. Hoje, no entanto, as organizações que se diferenciam são as que não enxergam o trabalho das pessoas como *commodity* e priorizam a qualificação permanente de seus quadros.

Essa educação continuada pressupõe a capacidade de dar vitalidade à ação, às competências, às habilidades, ao perfil das pessoas. O estabelecimento dessa condição traz uma multiplicidade de elementos, desde treinamentos pontuais até cursos de formação e especializações sofisticadas.

Se a liderança não estiver voltada para priorizar a formação contínua, o máximo que essa empresa terá é um grande passado pela frente.

E existem também empresas cuja gestão de capital humano dá um passo além e oferece oportunidades para o aprimoramento da sensibilidade.

Essa é uma questão central, hoje, no mundo do trabalho, isto é, a facilitação de atividades que envolvam a sensibilidade estética no campo da música, poesia, artes plásticas, ecologia.

Isso propicia aos que atuam em uma empresa um prazer grande pela estrutura de conhecimento em seus múltiplos níveis. Aliás, as empresas que rumam céleres ao futuro são as que se encontram nessa sintonia.

Num ambiente de crescente interdisciplinaridade e conexões múltiplas, as organizações precisam de pessoas capazes de pensar o novo, de enxergar além da moldura, de buscar soluções para o que ainda está no horizonte. Essas capacidades só podem advir de gente com repertório técnico, intelectual e sensorial.

Por isso, hoje, as empresas falam menos na formação de um generalista, e mais na de um multiespecialista. Não se trata de mera diferenciação de linguagem. É menos uma pessoa voltada para uma visão genérica das coisas, e sim aquele ou aquela que ganha autonomia para construir uma nova competência.

O filósofo norte-americano John Dewey, que trabalhou na área de educação na primeira metade do século XX, cunhou a clássica expressão: "É preciso aprender a aprender". Portanto, quem aprende a aprender ganha autonomia.

Por isso não se pode atuar no campo empresarial apenas para formação estratégica, porque ela tem prazo mais dilatado. Mas também não se pode ser imediatista e trabalhar apenas para a semana seguinte com uma formação específica e, portanto, focada e limitada. É preciso equilibrar as duas vertentes.

A palavra "equilíbrio" tem a ver com balança, "libra", equilibrar a balança é colocar os pratos em sua condição de uso mais adequada. Uma empresa que não pensa na formação de um multiespecialista fratura a condição de ir adiante com maior perenidade.

Afinal de contas, a velocidade da alteração dos processos produtivos, dos conhecimentos, dos nichos de mercado é tamanha que a questão não é partir o tempo todo, mas estar sempre apto a partir.

A missão dos gestores não é formar uma pessoa continuamente de saída para outro lugar. Ela tem de estar de prontidão, apta a seguir para outra direção, se as circunstâncias demandarem.

E formar pessoas para a autonomia exige que elas desenvolvam a sensibilidade, a capacidade de acumulação de conhecimento e informação, a habilidade de apropriar-se desse conhecimento e dar a ele aplicabilidade.

É preciso formar pessoas que detenham um conhecimento eficaz. Aristóteles chamaria isso de causa eficiente. Não basta uma causa formal, é preciso ter uma causa eficiente, diria ele, que dê resultado. E empresas vivem de resultados, obtidos a partir da condição de competência que carregam. E essa competência está nas pessoas. Logo, as empresas vivem de pessoas.

Nessa lógica, reforcemos, existe a necessidade de colocar o recurso humano, a força de trabalho, não como uma *commodity* a ser negociada, dispensada, adquirida, de acordo com o momento e a perspectiva.

Relembremos: ninguém fica num local apenas por conta do salário. A permanência está ligada à capacidade de enxergar a finalidade positiva do que se faz, ao reconhecimento que se obtém, ao bem-estar sentido quando seu trabalho é valorizado e, sobretudo, à percepção de que existe ali a possibilidade de futuro conjunto.

Dispor de talentos requer relações que se sustentem nessas bases.

Uma empresa que não oferece condições de reconhecimento no dia a dia compromete esse equilíbrio. E não só o funcionário é dispensável para a empresa, dependendo do ramo, a empresa é dispensável para ele. Haja vista que, a partir do nível de gerência média, acontece um rodízio intenso de executivos entre as organizações.

A retenção de um bom profissional passa pela percepção de que a empresa investe nele – o que é uma forma de reconhecimento.

Quem faz uma parceria com o colaborador, dizendo que paga parte do curso de idioma ou que facilita o horário de trabalho para que ele complete a graduação ou faça uma pós-graduação, está investindo nesse talento. Sempre que alguém fala "Você vale o que estamos fazendo", produz-se um bem-estar e um sentimento de gratidão.

Todas as vezes que a empresa é ingrata com o empregado ou o trata como se fosse tão somente uma peça a ser mobilizada ou desmobilizada conforme a urgência, isso cria indiferença no trabalhador.

Se ele percebe que a empresa investe nele, aumenta o nível de gratificação, de um lado, e de gratidão, do outro.

Não significa que se obtenha lealdade absoluta, mas, ao menos, se estabelece um nível de fidelidade maior.

E o investimento em educação significa que a empresa quer preparar o trabalhador – e, ainda que eventualmente tenha de dispensá-lo por qualquer circunstância, ele volta ao mercado mais qualificado –, o que gera um nível de tranquilidade maior e, consequentemente, de adesão.

Quando o crescimento individual contribui para o crescimento coletivo, com desdobramentos que beneficiam o conjunto da sociedade, tem-se então uma relação sustentável, e o propósito desponta com valor!

Paciência na turbulência,
sabedoria na travessia...

DO AMOROSO ESQUECIMENTO
Eu agora — que desfecho!
Já nem penso mais em ti...
Mas será que nunca deixo
De lembrar que te esqueci?
(Mário Quintana)

Gosto muito do que um dia o britânico Beda, o Venerável, escreveu lá no século VIII: "Há três caminhos para o fracasso: não ensinar o que se sabe; não praticar o que se ensina; não perguntar o que se ignora".
Por isso, uma carreira a ser "turbinada" exige a capacidade de "ensinar o que se sabe", isto é, ter permeabilidade e ser reconhecido como alguém que reparte competências, de modo a fortalecer a equipe e demonstrar ambição (querer mais) em vez de ganância (querer só para si, a qualquer custo).

É necessário também "praticar o que se ensina", de forma a deixar clara a coerência de postura, o equilíbrio entre o dito e o feito, e a disposição para assumir com segurança aquilo que adota como correto.

Por fim, o mais importante é "perguntar o que se ignora", pois corre perigo aquele que não demonstrar constante estado de atenção (em vez de estado de tensão) para ampliar capacidades e assumir a humildade (sem subserviência) de compreender e viver aquilo que Sócrates na Grécia clássica nos advertiu, "só sei que nada sei", ou seja, só sei que nada sei por inteiro, só sei que nada sei que só eu saiba, só sei que nada sei que não possa ainda vir a saber...

Afinal, os projetos e metas em qualquer organização são apenas um horizonte que funciona especialmente para sinalizar quais são as possibilidades e limites de progressão; no entanto, horizontes não são obstáculos e sim fronteiras.

A performance, o "fazer" carreira exige atitude e iniciativa, por isso é um "fazer" em vez de um "receber".

Construir o equilíbrio entre intenções e condições é prioritário, sempre lembrando que o equilíbrio precisa ser em movimento (como na bicicleta), sem se conformar com o sedutor e falso equilíbrio que se imagina atingir na imobilidade.

Assim, caminhamos para o futuro, com propósito, esforço e alegria, sabendo que ciladas e sobressaltos exigem de nós paciência na turbulência e sabedoria na travessia...

**Acreditamos
nos livros**

Este livro foi composto em Adobe Garamond Pro e
Bliss Pro e impresso pela Gráfica Santa Marta para a
Editora Planeta do Brasil em dezembro de 2020.